Après avoir pour un temps repris le flambeau de R.A. Salvatore – *La Fille du sorcier drow* (38) et *L'Etreinte de l'araignée* (39) dans la mythique Séquence d'Ombre-Terre –, puis avoir participé à la saga des Ménestrels, Elaine Cunningham nous offre ici sa première séquence indépendante.

Une occasion idéale, pour l'auteur, de raconter la suite du destin de deux fabuleux personnages – Arilyn Lamelune et Danilo Thann – rencontrés dans deux romans de la Séquence des Ménestrels : *L'Ombre de l'elfe* (41) et *La Chanson de l'elfe* (51).

L'univers des Royaumes Oubliés est friand de ce type de références « transversales ». Pour les plus anciens lecteurs, c'est ce qui fait une partie du charme. Pour les plus nouveaux, nul doute qu'il en sera de même !

D0808564

LES ROYAUMES OUBLIÉS

Entre parenthèses, après chaque titre, figure son numéro dans la collection ou (pour les ouvrages grand format) la mention GF.

I. La séquence des Avatars

Les dieux ont été chassés du Panthéon et se mêlent aux humains. L'histoire de Minuit et de Cynric, appelés à devenir de nouvelles divinités, a pour cadre trois villes légendaires et pour chef d'orchestre le sage Elminster, dont on reparlera dans la trilogie des Ombres, où il vole au secours de la déesse Mystra, menacée de perdre son pouvoir…

II. La séquence d'Ombre-Terre et du Val Bise

Deux apports majeurs dus à R.A. Salvatore : le monde souterrain habité par les Drows, et Drizzt Do'Urden, l'inoubliable Elfe Noir. Le parcours initiatique d'un héros (d'Ombre-Terre au Val Bise), l'histoire d'une société hyperviolente (avec la contribution d'Elaine Cunningham) et une ode à l'amitié (Wulfgar, Catie-Brie, Bruenor Battlehammer…). Cerise sur le gâteau, l'aventure continue !

III. La séquence des héros de Phlan

Une ville a… disparu ! Chargé de la retrouver, un groupe d'aventuriers conduit par le paladin Miltadies affronte tous les dangers.

IV. La séquence de la Pierre du Trouveur

La quête d'identité d'Alias, une guerrière amnésique portant sur l'avant-bras droit des tatouages qui font d'elle une meurtrière sans pitié.

V. La séquence de Shandril

L'histoire d'une jeune servante qui s'enfuit un jour de l'auberge de *La Lune Levante* et découvrira qu'elle est une magicienne. Par le créateur et grand maître d'œuvre des Royaumes.

VI. La séquence du Clerc

La saga de Cadderly, érudit et magicien, de sa jeunesse à ce qui pourrait être la fin de sa vie… On retrouve la « patte » inimitable et les thèmes favoris – souvent sombres – du père de Drizzt Do'Urden.

VII. La séquence d'Elminster

Tout sur le grand concurrent de Drizzt en matière de popularité… Et comme il a passé des dizaines d'années à sillonner les Royaumes, un magnifique voyage en prime !

VIII. La séquence des Sélénæ

Un autre auteur majeur et un autre domaine réservé : les Iles Sélénæ, fabuleux archipel perdu dans un océan peuplé de monstres et de merveilles.

IX. La séquence des Ménestrels

La saga de l'organisation secrète qui intervient partout où le mal menace de l'emporter dans les Royaumes. Chaque roman se passe dans un pays distinct, avec un ou des héros différents. Une séquence en cours de publication qui réserve encore de grands moments.

X. La Trilogie des Mystères (octobre, novembre, décembre 2001)

XI. Les romans transversaux

Des livres moins indépendants qu'on ne pourrait le croire : tout en précisant certains points de l'histoire des Royaumes, ils font reparaître nombre de héros des séquences ci-dessus.

XII. La séquence du Chant et de l'Epée

Pour la guerrière Arilyn Lamelune, la Ménestrelle Bronwyn et le sémillant Danilo Thann, l'heure a sonné d'en finir avec les secrets de leur passé. Mais dans les Royaumes, la vérité a un prix, et il est élevé…

ELAINE CUNNINGHAM

LES LARMES D'ACIER

Couverture de
ALAN POLLACK

Fleuve Noir

Titre original : *Silver Shadows*
Traduit de l'américain par Michèle Zachayus

Collection dirigée par
Patrice Duvic et Jacques Goimard

U.S., CANADA, ASIA, PACIFIC & LATIN AMERICA
Wizards of the Coast, Inc.
P.O. Box 707
Renton, WA 98057-0707
+1-206-624-0933

EUROPEAN HEADQUARTERS
Wizards of the Coast, Belgium
P.O. Box 2031
2600 Berchem
Belgium
+32-3-200-40-40

© 1996 TSR, Inc. All rights reserved.
© 2001 Wizards of the Coast, Inc. All rights reserved.

ISBN 2-265-07285-0
ISSN : 1257-9920

Pour Mailyn et Henk,
qui comprendront…

Les Larmes d'Acier

Mer des Épées

Murann

Péninsule du Téthyr

La Course

Baie de FeuDragon

Port Kir

Péninsule D'ÉtoileSpire

Zazesspur

Base navale elfique secrète

Colonies des elfes de mer

Légendes

- Grotte de Tinkersdam
- Embuscade tendue à la caravane
- Clairière de la Dame des Cygnes
- Hautes Futaies
- Territoire des *Lythari*
- Scierie clandestine
- Forteresse de Bunlap
- Zone où combat Zoastria

PROLOGUE

Dans la forêt du Téthyr, la nuit tombait vite.

L'escorte du convoi jetait des regards inquiets alentour. Avec la pénombre, les moindres bruits et craquements prenaient des proportions inquiétantes. Bien au-dessus des têtes, les arbres vénérables formaient un dais de verdure impénétrable. Mais les marchands continuaient, à la lueur des torches et des lanternes. Une plage de lumière perdue au milieu des ténèbres… Elle ne suffisait pas, loin s'en fallait, à apaiser leurs appréhensions. Les ombres projetées par les torches semblaient ajouter de l'huile sur le feu, avec leurs formes grotesques… Allaient-elles, soudain animées d'une vie propre, se détacher de leur source et détaler dans les broussailles au milieu des cris d'horreur ?

Une atmosphère délétère… Dans un cadre si oppressant, tout devenait possible. Les voyageurs avaient entendu parler des Guetteurs du Téthyr… Et pas un homme, pas une femme, ne doutait d'être observé par des créatures invisibles.

Chadson Herrick, un mercenaire qui sillonnait les routes depuis plus d'années qu'Elminster n'avait de pipes, se massa la nuque.

— Mes cheveux se dressent tout seuls… Je me fais l'effet d'un « loup aux abois » !

Son compagnon hocha la tête. Un jeune homme fin,

toujours trop nerveux… Il brandissait le symbole de Tymora, la déesse de la Fortune. Pour une fois, Chadson ne se sentait pas le cœur de le taquiner sur ses superstitions.

— Encore quelques lieues…, chuchota le jeune homme.

Les Guetteurs devaient avoir le convoi à l'œil depuis son départ de Mosstone, la dernière colonie humaine avant d'aborder la forêt. Le silence ajoutait à la tension ambiante.

Chadson eut l'envie folle de bondir de selle, de danser, de crier à tue-tête et de faire des grimaces à la ronde. A l'idée des têtes que feraient les marchands, il sourit.

Il souriait encore quand une flèche lui transperça le cœur.

Tétanisés, tous le regardèrent s'effondrer, l'empennage couleur d'ébène du projectile dépassant de sa poitrine.

Une flèche caractéristique d'un elfe des bois, surnommée la « foudre noire » par les humains.

Au silence succéda le chaos… Sous les ordres braillés par les soldats, les marchands quittèrent en hâte leurs chariots pour les renverser, au mépris de leur précieuse cargaison, et s'en faire une protection de fortune. Mortellement atteints, les chevaux de trait et de selle s'effondrèrent, leurs hennissements de terreur se mêlant aux cris des moribonds, hérissés de flèches noires.

Pourquoi les éclaireurs n'avaient-ils pas donné l'alerte ?

Derrière les chariots renversés, des archers ripostèrent, mais leurs tirs se perdirent dans les buissons. Les plus intrépides – ou les moins expérimentés – foncèrent dans les taillis, épée haute.

Et s'écroulèrent à leur tour, les yeux ronds, les mains serrées sur des plaies béantes.

Le massacre s'acheva très vite. Beaucoup de cavaliers avaient tourné bride. Une poignée de chariots avait également pu échapper à l'embuscade.

Le silence retombé, des ombres se détachèrent des bois et s'aventurèrent sur les lieux du drame. Juron aux lèvres, les pillards rassemblèrent leur butin. L'un d'eux, vêtu d'une cape, portait un corps inerte sur les épaules. Il le lâcha au milieu des cadavres des marchands.

— Une torche ! ordonna-t-il d'une voix rauque. Qu'on m'éclaire cette pagaille !

Il fut obéi. La lumière tomba sur un visage elfique anguleux aux tatouages vert et marron. Le malheureux, égorgé, s'était vidé de son sang. Sourcils froncés, le chef de la bande jeta un coup d'œil aux autres victimes.

Et son regard s'attarda sur un jeune type à la main clouée au sol par une flèche, sans doute alors qu'il s'apprêtait à dégainer son épée… De ses doigts tordus pendait une cordelette en cuir avec le symbole de Tymora. Détail curieux, le trait mortel avait dérapé sur le disque métallique avant de mordre la chair.

Amusé par l'ironie du sort, le tueur repensa à la nature capricieuse de Dame Fortune.

— Prenez l'épée de cet homme et rouvrez la plaie de l'elfe, comme s'il l'avait tué dans un corps à corps… Versez le sang de notre ami alentour pour faire croire que c'est récent. Un nouveau convoi passera ici demain.

Mais au moment où l'autre pillard empoignait sa lame, le jeune homme rouvrit les yeux… et brandit un couteau de chasse. Effrayé, l'homme recula, prit une flèche dans son carquois, l'encocha et tira.

Cette fois, le malheureux expira pour de bon.

Furieux, le chef de la bande arracha la flèche de sa gaine de chair pour la brandir sous le nez du coupable.

— Au nom des Neuf Enfers, qu'as-tu fait, misérable ?

Le pillard en faute haussa les épaules. L'empennage bleu et blanc n'avait rien à voir avec celui des elfes des bois.

— J'étais à court de flèches…

— Salopard ! explosa le chef. Si tu n'étais pas le meilleur archer de Château-Zhentil, je t'enfoncerais cette flèche par une oreille pour la ressortir par l'autre !

Il se tourna vers ses hommes et exhiba le projectile.

— Fouillez tout et assurez-vous qu'il n'y en a pas d'autres. Ces imbéciles sont censés avoir été massacrés par des elfes des bois. Exécution !

CHAPITRE PREMIER

La tour de Blackstaff ? On eût dit un énorme cylindre de granit noir mesurant une cinquantaine de pieds et protégé par un mur d'enceinte moitié moins haut. Austère, l'ouvrage n'affichait rien de magique, fût-ce de la manière fantaisiste, qu'affectionnaient tant les citadins d'Eau Profonde. Pas de gargouilles perchées sur le toit, ni de statues animées ou de runes énigmatiques gravées sur les parois… Mais l'édifice suscitait un émerveillement intimidé. Car dans la cité des Splendeurs comme dans les Terres du Nord, qui ne connaissait pas l'archimage Khelben « Blackstaff » Arunsun, l'heureux propriétaire des lieux ? Cette tour était l'authentique siège de la puissance d'Eau Profonde, le portail vers des univers enchanteurs dépassant l'imagination du commun des mortels…

Chose rarissime, en vérité, que la réalité dépasse les élucubrations des troubadours ! Et lorsque les spéculations des piliers de tavernes manquent d'audace…

C'était bel et bien le cas avec la tour de Blackstaff.

Dans une chambre du dernier étage, sa compagne, l'archimagicienne Laeral Arunsun Main d'Argent, se tenait devant un miroir en pied. D'une minceur de liane, Laeral était d'une fascinante beauté. Ses cheveux nacrés cascadaient sur ses hanches. Ses immenses yeux verts étudiaient le miroir. Elle effleura le cadre argenté, prononça une formule magique…

… et *entra* dans le miroir…

… Pour déboucher dans une clairière où butinaient les papillons. Le printemps souriait aux chênes vénérables. Une scène bucolique en apparence banale… N'était l'énergie surnaturelle des lieux, aussi pénétrante que le rayonnement du soleil. Laeral s'emplit les poumons avec joie, comme pour aspirer la magie ambiante et l'exultation que suscitait dans les cœurs Eternelle Rencontre… Le berceau de la civilisation des elfes.

Au centre de la clairière se tenait une dame vêtue d'une robe en soie gris colombe – la couleur du deuil. Ses yeux bleus perçants avaient vu naître et mourir de nombreux siècles. Pourtant, elle gardait l'apparence de la jeunesse, et pas un cheveu blanc ne se voyait dans sa flamboyante crinière d'or rouge, couronnée d'un serre-tête d'argent. Son port royal et son aura ne laissaient aucun doute sur son identité : Amlaruil, souveraine d'Eternelle Rencontre.

La reine des elfes.

Elle prit la parole d'une voix infiniment mélodieuse.

— Salutations, Laeral Amie-des-elfes.

L'archimagicienne fit une profonde révérence. Puis les deux femmes se tombèrent dans les bras avec des éclats de rire. Se tenant par la main comme des écolières, elles s'assirent sur une souche moussue et échangèrent des potins avec l'insouciance de donzelles à la vie dorée – oubliant qu'elles comptaient parmi les plus puissants personnages de Toril.

L'heureux prélude dut bientôt céder la place à des considérations moins légères.

— Quelles nouvelles, mon amie, m'apportez-vous avec tant de hâte ? demanda la reine.

— Les Ménestrels…, soupira Laeral. Qui d'autre serait en cause ?

— Hélas… De quoi s'agit-il cette fois ?

— Des elfes de la forêt du Téthyr auraient attaqué des fermiers et des convois.

— Pourquoi ?

— Vous voulez des raisons ? Jusqu'à récemment, les elfes du Téthyr ont beaucoup souffert à cause des dirigeants humains. Apparemment, la fin de la famille royale a mis un terme à ces exactions. Néanmoins, il est possible que les victimes des persécutions cherchent à se venger. Le Téthyr restant la proie du chaos, il est aussi probable que les frontières elfiques soient encore violées par des colons en quête de territoires ou des trappeurs à la recherche de terrains de chasse. En somme, les elfes défendraient leurs droits, tout simplement.

— Et ce serait naturel. Que viennent faire les Ménestrels dans tout ça ?

— Ils aimeraient imposer un compromis susceptible de mettre un terme à ces troubles.

— Ah… (Amlaruil eut un sourire amer.) Comme pour le Cormanthor, il y a tant d'années… Nous savons ce qu'il en fut, n'est-ce pas ? Aujourd'hui, combien d'elfes y vivent encore ?

Une question rhétorique.

— J'ai rappelé cet échec aux Ménestrels. Mais le déclin de l'espèce elfique n'est pas un problème qui leur est familier.

— Au temps pour leur fameux souci d'Equilibre universel, murmura la reine.

— Que représente l'Equilibre pour des êtres dont l'espérance de vie est sans commune mesure avec la nôtre ? Les Ménestrels sont sincères, mais leur vision du monde est décidément limitée… Ils sont davantage concernés par les entraves commerciales et la menace de guerre civile au Téthyr que par le reste.

— Ne pouvez-vous leur faire comprendre ce que ces compromis entraîneraient pour les elfes ?

— Si nous avions quelques siècles devant nous… Khelben comprend la situation – jusqu'à un certain point. Mais il se soucie avant tout d'Eau Profonde. Et il croit sincèrement qu'un compromis serait la meilleure solution – ou la moins mauvaise. Pour les intérêts de la ville comme pour les elfes. A ses yeux, ce serait leur unique chance de survie. Les humains du Téthyr tolèrent moins les autres espèces qu'il y a dix ou vingt ans. La région est tout près de s'embraser. Hélas, le Téthyr est devenu le repaire des loups aux dents longues. Les ambitieux ne reculeraient devant rien pour accélérer leur ascension. Et quoi de mieux qu'une croisade contre les elfes pour asseoir leur autorité ? Du temps de la royauté, vous savez ce qui est arrivé. En l'absence de pouvoir central, tout un chacun est prêt à saisir sa chance… Cette fois, la curée sera pire que tout.

— Dans ces conditions, il reste une solution. La Retraite… Les *Sy-Tel'Quessir* doivent s'y résoudre. J'enverrai un ambassadeur leur offrir un refuge à Eternelle Rencontre.

— Et s'ils refusent ?

— Nul ne les y contraindra. Ils mourront sous les crocs des loups… C'est le crépuscule des *Sy-Tel'Quessir*, mon amie. Vous le savez aussi bien que moi. Je ne puis tenir indéfiniment les ténèbres en échec.

— Puisse cette nuit glaciale ne jamais venir ! s'écria Laeral. Quant aux Ménestrels, croyez-en mon expérience, la meilleure façon de tempérer leur enthousiasme, c'est encore de les épauler. Une chose est sûre : avec ou sans votre bénédiction, ils agiront comme ils l'entendent.

— Votre suggestion ?

— Envoyez aux elfes du Téthyr un Ménestrel qui leur communiquera votre offre d'asile… Un agent qui travaillera à un Equilibre favorisant votre communauté. De cette façon, en cas de refus, ils auront au moins un avocat.

Amlaruil dévisagea l'archimagicienne. Le regard gris-vert de Laeral suggérait qu'il y avait autre chose là-dessous. Or, la compagne de Khelben s'embarrassait rarement de préambules ou de scrupules. Elle n'avait pas froid aux yeux et encore moins la langue dans sa poche… Qu'est-ce qui l'embarrassait ?

Pleine d'appréhension, Amlaruil attendit que son amie dise ce qu'elle avait sur le cœur.

En vain.

— Admettons que j'approuve cette ligne de conduite. Disposez-vous d'un agent elfique au sein des Ménestrels ? Un elfe des bois ?

— Non, admit Laeral.

— Alors comment votre plan pourrait-il réussir ? Les *Sy-Tel'Quessir* sont têtus, pour ne pas dire bornés. Tout elfe ne venant pas de leur tribu est suspect. Le peuple des bois du Téthyr ne m'ayant pas formellement juré allégeance, il peut refuser d'écouter mon ambassadeur. Et harcelé de toutes parts, il abattra certainement à vue tout étranger… Votre Ménestrel aurait peu d'espoir de survivre et encore moins de chances de succès.

Un long silence suivit, à peine troublé par les bruissements des feuillages, les bourdonnements d'insectes, les trilles des oiseaux… La clairière était un lieu enchanteur à la beauté inégalable. L'île magique d'Eternelle Rencontre représentait le dernier refuge des elfes, sa sérénité et son caractère inviolable nourrissant toutes les espérances.

Laeral pesa ses termes avec soin. Ce qu'elle allait suggérer éveillerait de douloureux souvenirs...

— Dans une ville proche du Téthyr, lors de plusieurs missions, une Ménestrelle hybride s'est fait passer pour une elfe de pure souche. Elle est très convaincante, pleine de ressources... Elle s'infiltrera dans la communauté de la forêt, j'en suis convaincue.

La reine se tourna vers le portail scintillant qui reliait Eternelle Rencontre au reste du monde. Celui qu'avait emprunté Laeral. Cette passerelle magique jetée entre les univers des humains et des elfes était née d'une étincelle – une enfant à demi elfique.

Une fillette qu'Amlaruil pleurerait toujours.

Et ce portail lui avait coûté la vie de son bien-aimé époux...

Le chagrin se moque de la raison.

Aux yeux d'Amlaruil, l'enfant et le portail ne faisaient qu'un...

— Oui, souffla Laeral, confirmant la conclusion tacite de son auguste interlocutrice. Vous savez de qui je parle. Si elle n'est qu'à demi elfique, elle a prouvé sa détermination à tout entreprendre dans l'intérêt des elfes. C'est sa façon de faire sien un héritage qu'on prétendait lui refuser.

— Cette demi-elfe porte l'épée d'Amnestria. Une lame de lune est un héritage enviable. Beaucoup d'elfes nobles la lui jalouseraient. Et c'est plus d'honneur qu'elle n'en mérite.

— L'acier... Drôle de réconfort, dit Laeral. Quant au chapitre de l'honneur, si elle manie cette arme sans y perdre la vie, cela ne se passe-t-il pas de commentaire ? Réfléchissez, mon amie.

Amlaruil braqua un regard haineux sur le portail qui lui avait tant coûté. Le chagrin et le devoir se livrèrent en elle une âpre bataille.

— Vous le croyez vraiment… C'est l'agent rêvé pour cette mission ? Elle seule pourrait sauver les elfes du Téthyr ?

Pleine de compassion pour la femme solitaire et d'admiration pour la reine orgueilleuse, Laeral hocha la tête.

— Alors, qu'il en soit ainsi, conclut Amlaruil. L'ambassadeur d'Eternelle Rencontre sera la Ménestrelle Arilyn Lamelune.

CHAPITRE II

Le Téthyr ? La contrée de tous les contrastes et de toutes les contradictions… La tradition et le modernisme s'y côtoyaient, les prétentions royales et les concepts égalitaires se heurtant sans cesse dans un pays dont la complexité naturelle accentuait les cicatrices. Niché entre les montagnes d'Amn d'un côté et les étendues arides au sud, le Téthyr avait un climat tempéré. Des cultures fertiles, des forêts touffues, des collines recuites par le soleil… Les communautés qui s'enracinaient dans chaque région, fermière, forestière ou désertique, étaient aussi diverses que leur environnement.

Zazesspur, la principale agglomération du Téthyr, était une cité portuaire tournée vers le sud, à l'embouchure du fleuve Sulduskoon. Une véritable plaque tournante du négoce. Mais Balik, son maître, s'efforçait de limiter l'influence des étrangers. Petit-fils d'un commerçant calishite, il s'érigeait en pacha, cultivant volontiers une splendeur tout orientale – et une défiance marquée pour les Nordistes.

Depuis l'accession au pouvoir de Balik, une dizaine d'années plus tôt, la cité portuaire s'était résolument habillée à l'orientale. Les meilleures et les pires caractéristiques de Calimport se retrouvaient à Zazesspur. De fins palais de marbre blanc, des jardins exotiques et des souks à ciel ouvert embaumant les épices rares jouxtaient les ruelles malfamées et les logements insalubres.

Mais les activités illégales fleurissaient surtout dans les plus beaux quartiers. L'école du Loup, officiellement dédiée aux arts du combat, était l'enseigne à peine voilée de la puissante guilde des assassins. L'intrigue y régnait. Et les tarifs d'un tueur à gages allaient chercher loin.

Inversement, quand la tête de ces mercenaires était mise à prix, on parlait de petites fortunes…

Arilyn Lamelune remontait une allée avec la discrétion d'une ombre. Sa longue chevelure aile de corbeau faisait ressortir le bleu profond de ses yeux, piqueté d'or. Moins intimidant, un tel regard aurait inspiré aux bardes leurs plus belles odes… Pâle comme un rayon de lune et douée de l'agilité d'un chat, Arilyn avait l'air tendu de ceux qui restent sans cesse sur le qui-vive. Pour un tueur à gages, les choses étaient simples : la vigilance… ou la mort.

Depuis des mois, la demi-elfe appartenait à la guilde des assassins. On ne la considérait plus comme une proie facile. Sa ceinture de soie gris pâle était l'attribut des meilleurs éléments de l'école. Mais beaucoup refusaient encore de croire une sang-mêlé originaire des Terres du Nord capable de faire honneur à cette distinction.

Au sein de la guilde, l'avancement au mérite – ou à l'ancienneté, vu sous un certain angle… – était la simplicité même : pour gagner du galon, rien ne valait l'assassinat de son supérieur.

Arilyn avait maintes fois défendu sa place et son rang. Son efficacité, son sang-froid, son aptitude à canaliser sa colère pour mieux vaincre étaient devenus légendaires. Mais qui aurait soupçonné la vérité ? La demi-elfe aurait donné cher pour être débarrassée d'une telle réputation. Solitaire et méfiante de nature, Arilyn se sentait prise dans une spirale infernale.

Après des mois de ce régime, elle avait développé des réflexes acérés. Plus besoin d'entendre des pas, dans son dos, ou d'apercevoir du coin de l'œil une ombre suspecte, pour se douter qu'on la filait. Arilyn se savait traquée.

Mais elle devait à ses ascendants elfiques une vue de prédateur : aiguisée, perçante et périphérique. Dans son dos, elle repéra une silhouette encapuchonnée qui approchait rapidement. Encore un idiot pressé de gagner du galon…

La demi-elfe ne trahit en rien qu'elle avait conscience d'une présence… Jusqu'à ce qu'elle passe à l'action. Vive et fluide, elle fit volte-face, agrippa son agresseur potentiel par le col et l'entraîna avec elle dans un roulé-boulé arrière. Avant que le poids de l'homme puisse se retourner contre elle, la clouant au sol, Arilyn se contorsionna en plein élan, les genoux ramenés contre la poitrine, et, d'une détente des jambes, l'expédia à plusieurs mètres de là.

Elle se redressa puis voulut frapper l'inconnu d'une manchette au cou. Ses doigts heurtèrent douloureusement le gravier…

Etouffant une malédiction, elle rabattit le capuchon du type sur ses épaules… et découvrit une projection astrale.

— Khelben ! chuchota-t-elle, exaspérée.

La lune éclairait un visage familier aux cheveux et à la barbe noirs striés de fils blancs.

Drapée dans sa dignité, l'apparition se releva et épousseta sa cape.

Khelben « Blackstaff » Arunsun, archimage d'Eau Profonde et maître Ménestrel, n'était certes pas le favori d'Arilyn. Les Ménestrels avaient envoyé la jeune elfe et son coéquipier, Danilo Thann, en mission à Zazesspur. Si Khelben n'était pas responsable du rôle qui avait échu à Arilyn, elle n'avait aucune envie de lui parler – fût-ce par projection astrale interposée. Bavarder avec ce double magique ? Hors de question !

— Bonjour, Arilyn Lamelune. Par Mystra, vous ressemblez de plus en plus à votre père ! Combien de fois ai-je vu cette expression orageuse assombrir son front !

La jeune femme se crispa. Sa relation avec son géniteur humain était encore trop fraîche, trop compassée… En vérité, elle n'aimait guère qu'on lui rappelle sa nature de sang-mêlé.

— Je doute que vous vous soyez donné autant de peine pour le plaisir d'évoquer vos querelles avec Bran Skorlsun. Passons aux choses sérieuses !

Hochant la tête, l'archimage écouta son rapport. Sèche et concise, Arilyn décrivit ses progrès contre les guildes qui prétendaient déposer le pacha de Zazesspur. De ce qu'une telle mission lui coûtait, elle ne dit pas un mot.

— Danilo et vous avez fait du bon travail. Balik a conscience de la menace et votre amitié avec le prince Hasheth a valu aux Ménestrels un contact précieux au palais. La situation étant sous notre contrôle, l'heure est venue d'aborder d'autres problèmes. Avez-vous entendu parler des troubles survenus dans la forêt du Téthyr ?

Elle acquiesça.

— Alors vous êtes au courant de la récente attaque d'un convoi. On a accusé les elfes de ce massacre, et de bien d'autres dans la foulée… A votre avis ? Quel crédit faut-il accorder à ces rumeurs ?

— Difficile à dire. Les elfes des bois sont féroces,

imprévisibles… et la famille royale les avait persécutés. Les motifs de discorde foisonnent. Qui sait quelle étincelle aura enflammé cette poudrière ?

— A nous de le découvrir. Les Ménestrels ont décidé de vous y envoyer pour obtenir ces réponses et tenter de résoudre le conflit.

— On m'envoie au Téthyr ? En qualité de quoi ?

— Comment cela ?

— De tueuse ?

Voulait-on qu'elle élimine un à un les chefs des bandes elfiques ? Voilà qui résoudrait certainement le problème !

— Comment osez-vous poser pareille question ! la sermonna Khelben.

L'ambiguïté de la réaction n'échappa pas à la jeune femme. Quoi d'étonnant ? L'archimage avait la fâcheuse manie de parler pour ne rien dire. Ses réponses… n'en étaient jamais.

— Je vous écoute, insista Arilyn.

— Découvrez ce qui s'y trame. Les griefs réciproques. Et faites votre possible pour réconcilier les humains et les elfes des bois.

Stoïque, Arilyn fut pourtant accablée par le poids de cette mission.

Amener les elfes à accepter un compromis ? Autrement dit, à céder toujours plus de terrain à des cultivateurs aux dents longues ? A laisser les humains abattre toujours plus d'arbres pour élargir leurs voies commerciales ? A fermer les yeux sur les incendies de forêt dus aux inconséquences des marchands et des aventuriers ? A établir des quotas de gibier, alors que les pièges à loup et les chasses à courre étaient des abominations aux yeux des elfes ? A fermer encore plus les yeux quand des trafiquants de chair calishites ou amnites venaient traquer des adolescents pour vendre à prix d'or ces « morceaux de choix exotiques » sur les marchés aux esclaves ? A accepter de compromettre une des dernières enclaves elfiques… histoire d'accélérer de façon dramatique le déclin des elfes ?

— Un *compromis* ? cracha la jeune femme, sortant de ses gonds.

Projection astrale ou pas, l'archimage ne céda pas un pouce de terrain.

— Quelles alternatives proposez-vous ? Si ces conflits durent et s'enveniment… ? Si une guerre éclate, qu'adviendra-t-il d'un équilibre déjà des plus précaires au Téthyr ? Vous devez contraindre les elfes à entendre raison ! Adoptez leur mode de vie, gagnez leur confiance.

Une suggestion aussi grotesque que la première…

A la connaissance d'Arilyn, nul n'avait infiltré une communauté sylvestre. Les *Sy-Tel'Quessir* étaient refermés sur eux-mêmes et enclins à la défiance. Ceux du Téthyr avaient toutes les raisons de haïr les humains. Quant aux hybrides… Beaucoup les considéraient comme des abominations. Et si Arilyn s'était fait passer avec succès pour une elfe à part entière, ç'avait été pendant de courtes périodes.

Khelben avait raison sur un point : avant d'entrer dans le vif de sa mission, Arilyn devrait s'attirer le respect des elfes. Et quand on n'avait ni lignée, ni famille, ni réputation… Rien ne valait une bonne épée. Elle excellait au combat. Mais les elfes étaient aussi réputés pour leur caractère belliqueux. Il en faudrait beaucoup pour les impressionner. Arilyn avait entrepris bien des missions délicates et périlleuses pour les Ménestrels… Mais cette fois, ça relevait de la gageure ! Elle envisagea d'opposer à Khelben un refus catégorique.

— J'aurai besoin de réfléchir.

— Bien sûr. L'impossible prend toujours un peu plus de temps…

Avec un petit sourire, il citait son neveu et apprenti Danilo.

Arilyn se détourna. Son partenaire n'apprécierait pas qu'elle parte en mission sans lui. Même si ce n'était pas pour demain… Ce genre d'opération exigeait les préparations méticuleuses d'ordinaire réservées aux noces royales ou aux invasions à grande échelle.

Toute envie de dormir envolée, Arilyn quitta l'enceinte de l'école pour gagner une taverne. Un certain capitaine originaire des Sélénæ, ancien pirate de son état, avait fait escale à Zazesspur la veille. Il avait une prédilection pour les documents de valeur – authentiques ou non –, et il comprenait mieux les elfes que la plupart de ses congénères. A en croire la rumeur, il venait de forger une amitié (peut-être amoureuse) avec une druidesse. Les liaisons entre les elfes des bois et les humains étaient d'une extraordinaire rareté… Mais Arilyn connaissant très bien l'homme, cette rumeur-là pouvait être fondée… Le vaisseau en question, l'*Arpenteur des Brumes*, était un des rarissimes bâtiments non elfiques autorisés à mouiller à Eternelle Rencontre.

Bref, en ce qui concernait Arilyn, c'était l'homme de la situation !

Quitte à jouer les elfes de lune en visite, elle devrait prévoir une couverture convaincante pour expliquer sa présence dans la forêt du Téthyr. Et si quelqu'un pouvait l'y aider, voire imaginer une stratégie gagnante, c'était bien ce capitaine.

Comme de coutume à *La Baleine Emergeant*, les boucaniers se pressaient dans la salle commune sous l'œil exercé de serveuses très peu farouches. Une taverne typique… à cela près que celle-ci s'enorgueillissait de chambres aux matelas de plume et à la literie immaculée, louables à l'heure… et surveillées par des gardes armés jusqu'aux dents. Qui montait avec une fille de l'auberge était assuré de s'en payer une bonne tranche en toute sécurité. Et les pirates qui écumaient la Côte des Epées descendaient à *La Baleine Emergeant* pour une nuit de repos dans une chambre propre – un véritable luxe dans n'importe quelle cité.

Dans la salle bondée, Arilyn n'eut aucune peine à repérer le corpulent capitaine Carreigh Macumail avec sa blondeur bouclée, ses belles bacchantes tressées, son kilt bleu et vert, son extravagant jabot et ses manches fines à dentelle… Il jurait au milieu de vieux loups de mer le plus souvent vêtus de méchantes tuniques. Assis à califourchon sur deux sièges, un bras posé sur le dossier d'un troisième et les bottes sur un quatrième, ce colosse faisait assaut de fanfaronnades guerrières avec deux pirates nélanthères.

Fendant la foule, la demi-elfe nota machinalement quels conspirateurs chuchotaient ensemble, quels trublions gardaient les doigts près de leurs armes… Déclinant l'offre galante d'un des rares serveurs mâles de l'auberge, Arilyn commença par pousser d'un coup de pied la chaise où Macumail avait étendu ses jambes. L'homme fut aussitôt debout, poignard en main. Pour un type de sa corpulence, de tels réflexes étaient sidérants. Mais à la vue d'Arilyn, son étonnement se transforma en joie.

— Bonsoir, dame Lamelune ! Les nouvelles vont

vite par ici ! Je ne pensais pas vous voir avant demain, au plus tôt.

Arilyn fronça les sourcils.

— Vous m'aviez fait demander ?

— Eh, oui ! (Il se tourna vers ses compagnons de table.) Ce fut un plaisir, les gars…

Captant le message, les deux hommes se levèrent et partirent à la recherche d'une table libre.

Arilyn s'installa dos au mur, à califourchon sur son siège tourné – une précaution qui n'échappa pas aux fauteurs de troubles. La jeune femme avait appris à brandir des chaises avec autant de dextérité qu'une épée. Le capitaine commanda du vin, puis fit un clin d'œil à sa belle compagne.

— J'ai des documents passionnants à vous montrer, ma chère… (Il sortit une liasse de papiers de sa sacoche.) Tenez…

Il avait souvent fourni à la Ménestrelle des faux d'une qualité remarquable. Celui-là était un joyau dans son genre : un texte elfique avec une reproduction du sceau des Fleur de Lune, la famille royale d'Eternelle Rencontre.

Arilyn siffla entre ses dents.

— Beau travail !

— Ah, j'aurais adoré en être l'auteur, soupira Macumail. Vous me flattez… Non, ce document authentique vous est adressé.

La demi-elfe ouvrit des yeux ronds.

— Vous n'êtes pas sérieux !

— Lisez-le.

Elle le parcourut en diagonale, traduisant automatiquement l'elfique en commun.

— « … *Retraite sur notre île… bienvenue dans nos forêts…* » (Elle leva un visage incrédule vers son interlocuteur.) Ceci émane d'Amlaruil d'Eternelle Rencontre ! Une missive officielle qui me nomme ambassadrice !

— Exact. La souveraine me l'a remis en main propre. Dame Laeral Main d'Argent était présente. Elle m'a également confié une lettre pour vous.

Laeral était une des rares magiciennes qui avait la confiance et le respect d'Arilyn. Au contraire de la plupart des adeptes de l'Art – trop souvent détachés de tout et suprêmement indifférents aux conséquences de leurs actes –, Main d'Argent faisait preuve d'un rafraîchissant esprit pragmatique. De sa jeunesse aventureuse, elle avait gardé un petit côté fripon. Elle ne sacrifiait pas l'efficacité sur l'autel du protocole.

Bref, Arilyn et elle s'entendaient comme larrons en foire.

Encore sous le choc, la Ménestrelle chercha dans le tas de documents la lettre de Laeral… Elle l'encourageait à accepter la mission de la reine. Bientôt, les Ménestrels lui en confieraient une allant dans ce sens.

La jeune femme se passa une main dans les cheveux.

Au moins, c'était un début de solution… Les elfes des bois *pourraient* envisager une Retraite.

Restait un problème : pourquoi *elle*, Arilyn Lamelune ? Pourquoi l'avoir choisie pour représenter Eternelle Rencontre ? Son épée si particulière mise à part, elle ne pouvait pas revendiquer son héritage elfique…

Un petit sourire cynique flotta sur ses lèvres. C'était pourtant évident… La famille royale d'Eternelle Rencontre avait trouvé comment récupérer l'épée d'Amnestria sans faillir à l'honneur !

Trente ans plus tôt, la mère d'Arilyn, la princesse exilée Amnestria, avait été assassinée à Evereska, lui léguant sa lame de lune. La famille, venue aux funérailles, s'était indignée en apprenant ce legs. D'après elle, seule une elfe de pure souche et au cœur noble pouvait recevoir une telle épée. Et nul n'avait eu une parole ou un geste de réconfort pour la petite orpheline… Les elfes de sang royal portaient des voiles qui dissimulaient leurs traits.

A présent, cette souveraine sans visage et sans chaleur daignait octroyer à Arilyn l'honneur d'une mission impossible, sinon suicidaire ?

La Ménestrelle doutait que la reine veuille sa mort… Mais quelles étaient ses motivations ? Ces faits passés sous silence, combinés à des souvenirs douloureux, la plongèrent dans une colère noire.

Elle prit la missive royale, la froissa et la lâcha dans son gobelet vide.

— J'espère que vous aurez la bonté de rapporter ma réponse à la reine, grinça-t-elle en voulant imiter l'onctuosité respectueuse des courtisans.

— Votre décision est irrévocable ? demanda Carreigh Macumail, consterné.

— En fait, j'aurais bien des commentaires… Libre à vous de les répéter, si vous le jugez nécessaire.

Elle décrivit avec un grand luxe de détails ce que la reine Amlaruil pouvait faire avec son « offre ». Le capitaine au teint rubicond en perdit ses belles couleurs.

Puis il poussa un lourd soupir.

— Aucun vent n'est trop fort qui jamais ne change de direction, dit-on… L'*Arpenteur des Brumes* mouillera au port une dizaine de jours. Au cas où vous reviendriez à de meilleurs sentiments…

— A votre place, je n'y compterais pas.

Elle jeta son écot sur la table et partit à grandes enjambées.

Carreigh Macumail sortit un duplicata de son sac.

Sur les conseils de Laeral, la reine avait établi cinq copies de l'ordre de mission d'Arilyn Lamelune.

Patience et longueur de temps font plus que force et que rage…, avait rappelé l'archimagicienne à ses amis.

Et avec Arilyn, il faudrait des trésors de patience.

Macumail espéra ardemment que cinq copies suffiraient.

CHAPITRE III

Les molosses talonnaient les elfes. Ces chiens auraient mérité d'être humains, tant la soif de sang les aiguillonnait ! Ceux-là ne tuaient pas non plus pour se nourrir ou se défendre... Ils égorgeaient leurs proies par plaisir !

Et ce n'était pas la première fois qu'on introduisait ces animaux sanguinaires dans la forêt. Les dogues capables d'affronter des ours pouvaient mettre un cerf aux abois. Avec leurs pattes massives, ils filaient dans les broussailles comme des flèches, la bave à la gueule...

Le jeune Renard-de-Feu à la crinière flamboyante lança un coup d'œil par-dessus son épaule. Bientôt, les molosses auraient rattrapé son groupe... Et les humains suivraient sans peine la piste laissée par leurs bêtes.

Renard-de-Feu avait vu les dogues à l'œuvre... Gaylia, une jeune prêtresse de sa tribu avait été victime d'un piège à loups avant que les chiens se jettent sur elle pour la déchiqueter... Les chasseurs avaient laissé sa dépouille sur place en guise d'avertissement.

— Dispersons-nous ! ordonna Renard-de-Feu. Rendez-vous au crépuscule dans le taillis aux frênes !

Les sept archers s'élancèrent vers des branches maîtresses. Perchés dans les arbres, ils seraient invisibles pour les humains, et hors d'atteinte des crocs de leurs molosses.

Réfugié dans un cèdre, Renard-de-Feu attendit les poursuivants de pied ferme. Il n'aurait demandé à aucun des siens de prendre un tel risque… Mais il voulait des réponses.

Une vingtaine d'hommes furent bientôt en vue. Renard-de-Feu n'eut d'yeux que pour un type massif enveloppé d'une cape gris sombre et portant des bottes à pointes de fer. L'elfe avait remarqué près du cadavre de Gaylia des empreintes inhabituelles… Ce monstre avait donc regardé l'atroce mise à mort sans lever le petit doigt… On avait vu le même individu emporter le cadavre d'un archer après une escarmouche sanglante… Dans quel sinistre but ?

Renard-de-Feu savait seulement que les elfes du Téthyr devaient compter avec ce formidable ennemi.

Il s'ingénia à mémoriser les traits du soudard : facile, sa laideur collait à merveille avec le personnage… Une barbe noire, un nez crochu, des yeux aussi durs et gris que les nuages qui festonnaient les pics des monts EtoileSpire…

Furieux, le type flanqua un coup de botte à un dogue qui retomba sur le flanc en gémissant. La queue entre les jambes, les autres s'écartèrent prudemment.

— Sales clébards propres à rien !

— Si on fichait le feu à l'arbre, Bunlap ? suggéra un chasseur. Ça chasserait les longues oreilles de leurs cachettes !

— Si tu avais le bon sens d'un scarabée fouille-excréments, tu te douterais que ces salauds ne t'ont pas attendu ! Ils se balancent d'arbre en arbre comme des singes !

— Que faisons-nous, alors ? demanda un autre homme.

Bunlap haussa les épaules.

— C'est fichu. Dommage… La ferme située au sud de Mosstone nous aurait bien payés pour des esclaves. Les elfes des bois sont les meilleurs travailleurs, d'après notre ami.

— Pourtant, qui croirait que ces créatures décharnées vaudraient la peine qu'on les mate ? lança un type fluet armé d'un arc elfique.

Renard-de-Feu plissa le front. Aucun elfe n'aurait cédé de son plein gré une telle arme à un humain…

Bunlap eut un sourire mauvais.

— A moins d'aimer dompter les sauvages…

Du haut de son cèdre, Renard-de-Feu eut toutes les peines du monde à ne pas arroser ces misérables de flèches. N'était-il pas le meilleur archer de la tribu Elmanesse ? Il rendrait un fier service au monde en le débarrassant de ces monstres ! Mais un chef responsable devait garder la tête froide. Les humains harcelaient les elfes… Dans quel but ?

— Remettons les dogues en laisse et filons, ordonna Bunlap.

Comme de coutume, il partit le dernier, formant l'arrière-garde du groupe de chasseurs. C'était un homme observateur, donc d'autant plus dangereux.

A l'ombre des feuillages, Renard-de-Feu suivit les intrus. Jugeant le moment venu, il se laissa tomber derrière sa proie.

Bunlap voulut faire volte-face… Trop tard. L'elfe l'empoigna par les cheveux, lui tira la tête en arrière et plaqua un coutelas sur sa gorge.

— Vous êtes loin de vos pénates, dit nonchalamment Renard-de-Feu comme si son ennemi et lui, attablés autour d'une bière, parlaient de la pluie et du beau temps.

Au son de cette voix – trop mélodieuse pour sortir

d'une gorge humaine –, les autres chasseurs se retournèrent, effrayés de voir surgir un elfe à la peau cuivrée. Aucun d'eux n'en avait vu un de près.

Cette créature tombée des arbres était d'une terrifiante beauté...

— Retenez vos dogues et laissez vos armes où elles sont ! ordonna l'elfe. C'est une affaire entre votre chef et moi !

— Obéissez, grogna Bunlap. Dites-moi, ajouta-t-il, vous parlez le commun...

— Je suis un Elmanesse. Ma tribu commerçait avec les vôtres avant que les risques ne deviennent trop grands. Mais l'heure n'est pas aux bavardages. Que venez-vous faire sur notre territoire ?

— Rendre justice !

Renard-de-Feu cilla, surpris d'entendre une déclaration aussi incongrue chez un individu pareil.

— Vraiment ?

Il pressa le couteau sous la gorge de Bunlap, histoire de le dissuader de tergiverser.

— Allons... Comme si vous ignoriez les attaques qui se sont multipliées contre nos convois et nos colonies ! Et les pillages auxquels vous vous êtes livrés sur vos malheureuses victimes !

— Impossible !

Au fond, Renard-de-Feu n'en était pas si sûr... La forêt abritait nombre de modestes communautés elfiques qui avaient peu de contacts les unes avec les autres. Certains clans parmi les plus mystérieux avaient pu reprendre les armes contre les humains...

Bunlap sentit naître le doute chez Renard-de-Feu.

— J'ai combattu les elfes des bois. Je me suis battu aux côtés des fermiers qu'ils voulaient massacrer... Et les survivants ont remplacé au travail ceux qu'ils avaient abattus à coups de flèches noires ! Ce n'est que justice !

— Le peuple des bois, asservi ? s'écria l'elfe, incrédule.

Même parmi les humains sans foi ni loi du Téthyr, il existait des règles contre de telles pratiques !

— Une vie pour une vie, insista Bunlap.

L'Elmanesse assimila ces informations. A supposer que l'humain ne mente pas, ça n'expliquait ni ne justifiait en rien ses agissements. Et ses acolytes avaient pour but avoué de réduire une multitude d'elfes en esclavage… au nom d'un code bizarre et illogique de la justice… Croyaient-ils sincèrement que l'exécution ou l'asservissement d'un innocent rachetait les fautes d'un coupable ?

Par le ciel et tous les esprits, si le peuple des bois suivait ce raisonnement pervers, il abattrait à vue tout humain approchant de la lisière des bois ! En vérité, certains elfes ne s'en privaient pas…

Renard-de-Feu n'était pas loin de leur donner raison.

— Pas question de vous laisser nous asservir ! Revenez dans notre forêt et mes guerriers vous accueilleront à leur façon ! Quant à vous… Je connais maintenant votre visage et votre griffe… Voici la mienne !

D'une légère torsion du poignet, à une vitesse sidérante, il lacéra la joue de l'homme à deux reprises. Braillant de douleur et de colère, Bunlap voulut lui enfoncer un coude dans le flanc…

… et mordit la poussière.

L'elfe s'était volatilisé.

— Lâchez les dogues !

Conscients que ça ne servirait à rien, les chasseurs s'empressèrent néanmoins d'obéir. Les animaux humèrent en cercle, truffe enfouie dans l'humus… En vain. L'elfe des bois avait bel et bien disparu.

— Il a mordu à l'hameçon, vous croyez ? demanda l'homme à l'arc elfique en tendant à son chef une bande de tissu.

Bunlap eut un sourire mauvais.

— Je le parierais. Ces démons viendront… et *nous* les recevrons ! Celui-là sera à moi.

— Vous vouliez attiser les haines, pas éliminer leurs chefs de guerre…

— Mon cher Vhenlar, il ne s'agit plus d'une mission. J'en fais une affaire personnelle.

L'archer blêmit. Il avait souvent entendu ce genre de déclaration… en prélude à des drames. Des années plus tôt, quand tous deux, simples soldats, étaient en poste dans la forteresse de Garde Noire, on les avait chargés d'escorter un émissaire de Château-Zhentil dans le défilé du Serpent Jaune. Un soir, Bunlap et un des hommes qu'il devait protéger s'étaient vivement querellés à propos des dieux du Mal. En « faisant une affaire personnelle », Bunlap avait battu son adversaire, le laissant pour mort. Apprenant qu'il s'agissait d'un haut prêtre de Cyric, le nouveau dieu du Mal, les deux compères ne s'étaient pas attardés pour voir comment les choses tourneraient… Certes pas en leur faveur. Emigrés au Sud, loin des Zhentilars, ils s'étaient installés au Téthyr, fondant une puissante compagnie de mercenaires. Les buts et les méthodes de Bunlap ne s'étaient en rien améliorés. A vrai dire, Vhenlar regrettait parfois de ne pouvoir se débarrasser de cette brute. Son propre amour du gain le gardait aux côtés de celui qu'il redoutait et méprisait par-dessus tout.

Et du profit, il y en avait ! Encore quelques années et Vhenlar jouirait d'une retraite dorée. S'il fallait

massacrer de l'elfe pour ça… Voilà qui ne lui arracherait pas des larmes de sang !

Emboîtant le pas à son chef, Vhenlar caressa amou-
reusement son arc.

Zazesspur derrière elle, Arilyn suivit la voie com-
merciale, s'orientant vers les monts EtoileSpire très
boisés et semés de nombreux lacs. Il y neigeait et
pleuvait souvent. Une bonne chose, pensa la jeune
femme avec un humour noir, considérant la multipli-
cation d'affrontements magiques qui endeuillaient la
région depuis quelques mois !

La Ménestrelle se dirigea vers le sud. Elle s'arrêta
dans un bosquet de conifères et mit pied à terre. Les
arbres masquaient une crevasse verticale, à flanc de
roche.

Arilyn s'aventura dans la cavité, le long d'un
dédale de boyaux, jusqu'à une grande grotte – l'antre
de l'alchimiste Tinkersdam de Gond, réfugié loin des
sceptiques et des médisants.

La grotte aménagée contenait des étagères, des
rayonnages de livres, des expériences en cours, plusieurs tables et plans de travail, des braseros et des
chaudrons luminescents.

Dans la cheminée naturelle servant de conduit d'aé-
ration, Arilyn remarqua des dépôts noirâtres… Avec
Tinkersdam, les explosions étaient monnaie courante.
Par bonheur, il n'en faisait pas les frais. Et nul n'aurait
pu prendre le bonhomme pour autre chose que ce qu'il
était. Natif de Lantan – où Gond le Faiseur de Merveilles, dieu des inventeurs et des artificiers jouissait
d'un culte quasi exclusif –, Tinkersdam avait un teint
ivoire jauni, de rares cheveux roux et des yeux verts
globuleux. Sa tenue de prédilection était une courte
tunique jaune – la couleur traditionnelle de Lantan –,

et des sandales. Ses pattes de canard étaient aussi dépourvues de pilosité que son visage imberbe.

Génial inventeur et alchimiste audacieux, Tinkersdam avait un faible pour les objets dangereux susceptibles de tuer ou d'estropier les gens de façons tout à fait innovatrices. Quand, des années plus tôt, une de ses expériences avait envoyé *ad patres* un personnage influent, il avait été frappé d'exil. Depuis, dans plus d'une ville, on l'avait prié de prendre le large après d'autres expériences aussi fâcheuses. Aussi génial qu'il fût, Tinkersdam jouait les funambules entre excentricité et folie furieuse. Néanmoins, le curieux petit bonhomme était devenu un allié précieux. Leur relation tenait même de la symbiose. Au fil des ans, il lui avait fourni quantité d'artefacts de son invention et de substances chimiques très utiles. Elle en avait toujours fait le meilleur usage, leur trouvant même des applications inattendues propres à ravir l'alchimiste.

Arilyn chercha du regard les artefacts qu'elle avait requis. Que Tinkersdam respecte les délais de livraison n'était jamais garanti. Le bougre n'avait aucune notion du temps, passant d'une expérience à l'autre dès qu'une idée nouvelle lui traversait la tête.

Pour l'heure, il semblait fasciné par ce qui mijotait dans un chaudron. Une scène domestique banale... n'étaient les râles pitoyables des végétaux montant du récipient, et les cris de détresse de ceux qui n'étaient pas encore « passés à la casserole ».

Des champignons hurleurs d'Ombre-Terre...

La Ménestrelle frissonna. Elle avait entendu parler des curieuses moisissures poussant dans les entrailles de la terre. Comment Tinkersdam avait-il réussi à s'en procurer ? Et que comptait-il en faire ?

— Où en est le masque ? lança la jeune femme.

Tout à sa mixture, le maître des lieux ne daigna pas tourner la tête.

— Troisième table, à droite…

Arilyn fouilla longuement dans le capharnaüm avant de trouver ce qu'elle cherchait : un loup dont la texture évoquait la peau d'un elfe de lune… Derrière les yeux peints se trouvaient des rouages miniaturisés.

Un miroir occupait tout un pan de la grotte. En dépit de son manque indéniable de beauté, Tinkersdam tenait beaucoup à la propreté. Campée devant le miroir, Arilyn vit le loup épouser les contours de son visage et prendre son teint naturel. Quant aux yeux peints… Ils adoptèrent à merveille la configuration des siens, les pupilles bleues piquetées d'or battant régulièrement de façon très réaliste.

Plus extraordinaire encore, Tinkersdam avait réussi à donner au loup une expression contemplative parfaite.

— Comment est-ce possible ? La magie ?

L'alchimiste haussa les épaules, dédaigneux. Arilyn faisait mieux que comprendre son attitude : elle la partageait. Elle se fiait beaucoup plus aux inventions de son ami qu'aux caprices de l'Art. En outre, les elfes des bois détecteraient plus vite une illusion magique qu'une tromperie mécanique. Quoi qu'Arilyn décidât en fin de compte, si par extraordinaire elle acceptait la mission et réussissait, ce serait grâce à Tinkersdam.

Se poser en elfe n'était pas un problème. De sa mère, Arilyn tenait des yeux caractéristiques et la vivacité de ses réflexes. Son teint de nacre et sa chevelure aile de corbeau étaient également typiques. Sans parler de sa sveltesse et de sa grâce. Son visage était moins anguleux que la norme elfique, mais ses oreilles pointues et ses traits délicats ne laissaient guère de place au doute…

Néanmoins, des détails pouvaient la trahir. Notamment, qu'elle dorme la nuit.

Les elfes de Toril ne dormaient jamais. Ils trouvaient le repos en entrant dans une profonde méditation : la « rêverie ». Arilyn en était incapable. Le loup lui permettrait de donner le change. Les elfes laissant en paix ceux qui entraient en rêverie, personne ne soupçonnerait qu'elle dormait.

Tinkersdam versa dans un alambic le précipité qu'il avait obtenu.

— Voilà le travail ! Dites-moi, Arilyn… Vous chantez ?

— Pas d'ordinaire.

— Dommage…

Songcur, il claqua soudain des doigts. Prenant derrière lui un couvercle, il versa dessus une goutte de liquide fumant avant de le brandir comme un bouclier.

— Ayez la bonté de me porter un coup.

Dégainant son épée sans poser de question, Arilyn frappa… On eût dit qu'une énorme cloche sonnait, faisant vibrer la grotte entière.

La Ménestrelle se plaqua les mains sur les tympans.

— Excellent ! jubila l'alchimiste.

Avec un grand sourire, il lâcha le couvercle puis tendit le flacon bouché à Arilyn.

— Ça vous sera sûrement utile au cours de vos pérégrinations.

Elle le prit en grimaçant.

— Et le reste ? cria-t-elle, abasourdie.

A l'autre bout de la grotte, l'alchimiste alla prendre un paquetage et le lui apporta.

— Voilà. J'ai ajouté quelques objets à votre liste. J'ai hâte d'apprendre l'usage que vous en aurez fait…

Arilyn remarqua sur d'autres emballages les armes de Balik, le pacha de Zazesspur.

— Hasheth était là, je vois…

— En effet. Un bon garçon…

La Ménestrelle n'en était pas si sûre. Certes, le jeune prince était un excellent agent de liaison. Grâce à lui, Danilo avait ses entrées au palais et elle avait obtenu de précieuses informations sur la ville. Le prince continuait d'alimenter Tinkersdam en fournitures, les finançant souvent sur sa propre cassette. Mais comment Arilyn aurait-elle pu oublier les circonstances qui les avaient réunis, Hasheth et elle ? Un apprenti tueur et sa proie. Si le prince lui avait ensuite permis d'accéder à la guilde très fermée des assassins, la demi-elfe se défiait toujours de lui.

En était-elle arrivée à attendre le pire de tout le monde ?

— Bientôt, je verrai des ogres sous les lits et des drows tapis dans les ombres…

— Ça m'est arrivé aussi, commenta l'alchimiste. Des fumées toxiques… Pendant des jours, j'ai combattu des striges imaginaires…

Soupirant, Arilyn prit son paquetage.

— On m'a confié une autre mission. Je risque d'être partie un bout de temps…

— Oh ? Nous changeons de nouveau de crémerie ?

La question n'avait rien de théorique… Quelques années plus tôt, une explosion, à Suzail, avait presque détruit le manoir d'un notable et contraint Tinkersdam à se déguiser en courant d'air… Plutôt que de parcourir des lieues à la recherche du bonhomme quand elle avait besoin de lui, Arilyn commençait par localiser sa base d'opérations du moment. Elle lui réglait ses dépenses grâce aux gages que lui versaient les Ménestrels et jugeait chaque somme ainsi versée judicieusement investie.

— Restez là jusqu'à mon retour. S'il vous faut quoi que ce soit, contactez Hasheth.

— Bon garçon…, répéta l'alchimiste. J'espère néanmoins qu'il restera à Zazesspur. Je ne suis plus le bienvenu à Saradush, Ithmong ou Myratma…, ajouta-t-il sur le ton de la confidence, citant les autres grandes cités du Téthyr.

Arilyn soupira.

— Dites-moi… y a-t-il une ville dont vous n'ayez pas malencontreusement soufflé quelques édifices ?

— Château-Zhentil. Si j'étais plus courageux…

— Dommage… Si une cité a besoin d'un brin de… ménage…, c'est celle-là !

— Quelqu'un s'en chargera tôt ou tard, répondit distraitement Tinkersdam, fasciné par les substances phosphorescentes qui bouillonnaient joyeusement dans ses chaudrons. Maintenant, si vous voulez bien m'excuser…

Arilyn quitta la grotte et retourna en ville. Elle voulait être de retour dans le hall d'honneur de l'école du Loup avant l'apparition de la lune. A la tombée de la nuit, de nouvelles missions étaient affichées ; les assassins venaient choisir leurs cibles. La Ménestrelle ne glanait jamais autant d'éléments sur les menées souterraines de la politique zazesspurienne qu'en ces instants.

Au crépuscule, elle franchit le portail de l'école. Confiant sa jument au garçon d'écurie qui accourait, elle se hâta d'entrer dans le hall et de consulter les parchemins cloués aux portes. Rien de fascinant… Un boulanger voulait venger l'insulte faite à ses pâtisseries, une fille de harem paierait en nature le meurtre d'un faux eunuque, un riche collectionneur offrait une forte récompense à qui volerait chez un rival une pièce convoitée…

— Pas de quoi vibrer d'enthousiasme, ce soir…, chuchota quelqu'un près d'Arilyn.

La Ménestrelle se tourna vers la seule autre femme de la guilde : une beauté exotique nommée Furet. Fluette, les traits anguleux, des yeux noirs pas tout à fait humains, un long nez fin… Il lui manquait juste de petites moustaches… ! Dénuée de scrupules, amorale et implacable, c'était bel et bien un furet…

Et elle s'y entendait à entretenir le mystère. On ne la voyait jamais sans un maquillage outré, un turban et des gants. Elle s'ingéniait à murmurer en toutes circonstances. Aurait-elle été accidentellement défigurée ? En tout cas, elle s'habillait de manière provocante, avec des fanfreluches transparentes et moulantes. Ce soir-là, elle portait, outre son sempiternel turban bleu cobalt, une robe qui scintillait à plaisir. On eût dit le magnifique ramage d'un paon. Des boucles d'oreilles en plumes de paon, précisément, complétaient la tenue.

Bras croisés, Furet s'adossa avec indolence au chambranle d'une porte.

— Alors ? Quelle aventure vous tente ? Celle du boulanger, de la putain ou du voleur ?

— Pas le boulanger… J'ai goûté ses pâtisseries. Nul ne devrait mourir pour avoir dit à voix haute ce que tout le monde pense tout bas. Longue vie à notre fin gourmet ! Puisse-t-il aller prospérer ailleurs.

— Ah, oui… Aux dieux ne plaise que vous ôtiez la vie à un innocent ! J'oubliais… Prenez donc la putain. La voir à l'œuvre vous fera le plus grand bien.

D'un haussement d'épaules, Arilyn balaya l'insulte. Furet se gaussait de l'existence austère d'Arilyn… Solitude et chasteté.

« *Demi*-femme ! » lui lançait-elle souvent dans les gencives, avec le venin du sous-entendu.

48

Elle n'avait pas tant de scrupules. On la disait dotée d'un appétit vorace pour les plaisirs de la chair, capable de laisser sans voix les nobles libertins les plus blasés de Zazesspur.

Malgré ses prouesses d'alcôve, Furet était surtout douée au couteau. Arilyn se demandait pourquoi sa rivale ne la provoquait pas en duel. De tous, cette femme énigmatique était la plus susceptible de lui prendre sa ceinture d'Ombre. Il fallait croire que Furet préférait consacrer son énergie à amasser de l'argent.

A ce propos, Arilyn nota que le collectionneur offrait une fortune… et arracha l'avis. Ses dépenses somptuaires lui ayant récemment vidé les poches, il était temps de réagir. Furet feignit de béer d'horreur. Arracher une offre avant que d'autres aient pu la consulter et la mettre aux enchères était un sérieux manquement à l'étiquette de la guilde.

Arilyn lui brandit le parchemin sous le nez.

— Que je sache, il n'y a que vous et moi, ici. Vous le voulez ?

— C'est un travail d'équipe, répliqua Furet, glaciale. Et la récompense est assez généreuse pour deux partenaires. Mais… libre à vous. Plutôt ramasser l'argent d'une fille de harem que de frayer avec une demi-elfe !

Surprise par tant de haine, Arilyn en resta muette. Les sang-mêlé ne manquaient pourtant pas au Téthyr. En général, ils étaient considérés et bien traités.

Une telle animosité surprenait.

— A votre guise…

La Ménestrelle tourna les talons. Elle avait mieux à faire que de s'embarrasser des préjugés des autres : envoyer un intermédiaire au collectionneur pour demander de plus amples informations, dénicher les plans du palais de son rival, réfléchir aux meilleurs moyens de circonvenir les gardes et les protections magiques… Par bonheur, l'objet de toutes les convoitises était une tiare d'argent sertie d'améthystes.

Un jour, Arilyn avait été chargée de récupérer la gueule empaillée, montée en trophée, d'un basilic. Rien que ça ! En traquer un vivant aurait été nettement plus simple…

— Je n'ai que faire des tiares, ajouta Furet. Mais si, au passage, vous voyez de jolis colliers ou des épingles à cheveux… Rapportez-m'en. Je vous les rachèterai moitié prix.

Arilyn ne répondit rien. Pas question de rapporter autre chose que la tiare. Et au ton amusé de sa rivale, celle-ci n'était pas sérieuse…

Que cherchait-elle ? Comme si la Ménestrelle manquait d'ennemis au sein de la guilde ! Et Furet l'avait à l'œil, c'était clair…

Ecoutant son instinct, Arilyn tourna les talons et quitta l'enceinte de l'école. Elle manquait de sommeil, mais rester près de Furet ne l'inciterait pas à se détendre… Et elle avait du pain sur la planche.

Elle descendrait à l'auberge.

— Bientôt, je verrai des ogres sous les lits et des drows tapis dans les ombres…, répéta-t-elle dans un murmure, n'ayant plus le cœur à ironiser.

Elle ferait mieux de suivre ses propres conseils. Le long des rues, elle resta aux aguets, scrutant les ombres…

Un mode de vie épuisant et solitaire… Mais la mort guettait tout aventurier. Depuis trente ans, Arilyn dansait avec elle, sur le fil du rasoir… sans la laisser gagner. Pour survivre, il s'agissait de donner le *la*, de connaître la chanson et d'éviter les faux pas.

L'analogie lui arracha un sourire. Elle en parlerait à Danilo quand ils se reverraient. Avec sa classe habituelle, il s'emparerait de ce piètre essai de poésie macabre pour en faire une de ses ballades mélancoliques… Un chant dont il ne régalerait jamais les oreilles de ses pairs. Le jeune homme, compositeur prolifique, portait deux casquettes : celle de l'auteur humoristique, voire grivois, que les salons huppés et les salles de fête d'Eau Profonde s'arrachaient, et celle du « poète noir » beaucoup moins connu – et pour cause. Les mélodies contemplatives qu'il composait à côté, seule Arilyn les entendait. Combien de nuits à la belle étoile Danilo avait-il joué du luth pendant que sa compagne contemplait le firmament, toute à sa joie elfique silencieuse… ?

Un bruit de pas, derrière elle, l'arracha à sa rêverie. On la pistait ! Sans doute un simple tire-laine, cette fois, car le bougre ne s'embarrassait pas de discrétion. Les meilleurs voleurs s'évertuaient à se fondre dans la foule, comptant sur la ruse et sur leurs… doigts de fée… pour réussir leurs larcins.

Arilyn jeta un coup d'œil à gauche. Un type mal fagoté… Une bouteille de tord-boyaux en main, il marmonnait dans sa barbe…

Un truc archiclassique : un faux ivrogne bousculait la victime pendant que le compère venait par-derrière la délester de son escarcelle…

La parade ? Des plus simples aussi : dès que le comédien la heurtait, Arilyn l'empoignait à bras-le-corps pour le jeter dans les bras de son complice. Les deux voleurs roulaient par terre, jambes et bras emmêlés…

Elle procéda comme de coutume. Des passants lui jetèrent des regards noirs, se gardant d'intervenir. Personne ne demanda aux deux hommes s'ils n'avaient rien de cassé.

La demi-elfe continua son chemin, essayant vainement de retourner à sa rêverie. La nature, les étoiles, la musique, le silence…

Envolés.

Chaque jour passé avec les humains lui coûtait de plus en plus.

Bientôt, elle y perdrait tout ce qui lui restait d'elfique…

CHAPITRE IV

Les jours fuyaient… et Arilyn n'avait pas avancé d'un iota dans son nouveau contrat. L'homme chez qui se trouvait la tiare était un certain Abrum Assante… Ce maître assassin s'était retiré des affaires depuis des années, histoire de profiter de ses gains.

Les préparatifs s'étaient révélés plus ardus que prévu. Non que s'infiltrer dans les palais fût un jeu d'enfant. On ne s'enrichissait pas sans apprendre la prudence et la prévoyance. A fortiori quand on était un tueur… Assante s'était protégé d'assez d'intrigues et de magie pour décourager tout le monde ou presque.

Arilyn n'aurait jamais cru avoir de tels trésors de persévérance. A l'exception des esclaves du palais – dûment cloîtrés –, pas un homme ou une femme vivant n'en connaissait les secrets. La Ménestrelle alla jusqu'à rechercher les esclaves morts – les cadavres, quoi qu'on en pense, ayant *beaucoup* à dire… Ne suffisait-il pas de louer les services d'un nécromancien pour obtenir des réponses ? Arilyn n'avait jamais recouru à ces méthodes, car les elfes avaient horreur de toute manipulation des défunts. Mais au point où elle en était… Avait-elle le choix ?

Après quelques judicieux pots-de-vin, elle avait eu accès aux tablettes de divers marchands ayant traité avec Assante ces vingt dernières années. Elle avait comparé les listes avec celles des cryptes réservées aux esclaves. Une tâche assez exécrable, pour une elfe, que de tremper dans la nécromancie… Et qui donna peu de résultats.

Apparemment, les serviteurs d'Assante n'avaient pas le mauvais goût de passer de vie à trépas. Accédaient-ils tous à l'immortalité… ?

Plus vraisemblablement, ils étaient enterrés dans l'enceinte du palais.

Un magnifique palais, de surcroît, une merveille de marbre rose agrémenté de subtiles illusions d'optique. Un millier de secrets devait y dormir… Le mur d'enceinte paraissait aisé à escalader.

Première illusion… Lisse, il n'offrait aucune prise aux grappins. Plus d'un voleur avait payé la tentative de sa vie.

Celui qui accédait à la cour n'était pas plus avancé… Sous divers déguisements, Arilyn avait tiré les vers du nez aux hôtes d'Assante. En réalité, ils n'avaient pas vu grand-chose du palais. Leurs informations étaient maigres : quatre bassins peu profonds, sans doute isolés magiquement les uns des autres, bordaient le carré de la cour. Ils étaient remplis d'un acide corrosif… Pourtant, certains visiteurs y avaient vu des cygnes et des nénuphars…

Réalité ou illusion ?

Arilyn ne tenait pas à l'apprendre à ses dépens.

Sur un point, tous les sons de cloche se recoupaient : quatre passerelles enjambaient les bassins, où planaient des sortes de nuages azur. Leur particularité ? Ils dissipaient toute illusion magique. Et nul ne pouvait entrer sans patauger dans « l'eau » ou traverser la brume ensorcelée. Cela seul aurait suffi à convaincre la demi-elfe que les bassins étaient mortels. Après quelques chopes de bière, un hôte d'Assante avait confié avoir vu un cygne disparaître dans la brume…

Une pure illusion, donc.

Les surprises ne s'arrêtaient pas là. Les statues de jardin et les gargouilles allaient par paires. Des constructions animées, des êtres vivants statufiés… Les passerelles étaient sous la garde de Calishites.

Le palais avait la forme d'un ovale : pas de recoins ni de plantes décoratives pour se tapir, pas de vignes grimpantes pour escalader les parois… L'ensemble rappelait une ziggourat agrémentée au dernier niveau de quantité de tourelles et de créneaux. Dans la tour centrale, les sentinelles avaient une vue imprenable sur le domaine et la ville. C'était une des plus étranges forteresses qu'Arilyn eût jamais vues – une des plus imprenables aussi.

Les astuces habituelles ne fonctionneraient pas. Les connaissant toutes, Assante avait pris ses précautions. Les déguisements magiques ne seraient d'aucune utilité… Que restait-il ?

Les souterrains.

Le palais en était sûrement pourvu. Nul assassin de l'âge vénérable d'Assante ne négligerait une précaution élémentaire de cet ordre. Mais où le tunnel se situait-il ? Où débouchait-il ? Le localiser ne serait pas un mince exploit.

Peu à peu, la solution apparut à Arilyn. Un des rares visiteurs du palais avait parlé d'une fontaine à l'eau très calcaire. La présence indiscutable d'eau de source. Des courants souterrains ? Inhabituel, mais pourquoi pas ? Bien des rivières prenaient leur source dans les monts EtoileSpire. Et à Zazesspur, les thermes publics construits au-dessus de nappes d'eaux chaudes effervescentes étaient monnaie courante.

Assante avait ses propres thermes, réservés à ses

amis et à ses associés. Un luxe qui n'était pas de notoriété publique… Arilyn avait eu du mal à mettre la main sur des documents en attestant. Elle apprit par la même occasion que l'ancien assassin possédait un nombre considérable d'établissements et d'édifices à Zazesspur.

Des informations qui trouveraient leur utilité, dans l'avenir.

Pénélope, heureuse propriétaire et gérante des *Sables Moussants*, lorgna la postulante d'un œil exercé. Elle n'avait jamais employé de demi-elfes dans ses thermes… La nouveauté attirerait la clientèle.

Celle-là ne manquait pas d'attraits. Un peu trop mince, mais quel merveilleux teint nacré ! Après quelques heures passées dans les étuves, les employées étaient aussi rouges et échevelées que des poissonnières un jour de grand nettoyage. Cela étant, la sang-mêlé avait l'air délicate. Le travail n'était pas que beauté et volupté… Il fallait aussi s'échiner durement.

La patronne examina les références de la postulante. Impressionnant… Ancienne courtisane au palais du seigneur Piergeiron, à Eau Profonde la décadente… Voilà qui prouvait la discrétion de la demi-elfe. Elle avait aussi servi à *La Sirène Rougissante*, un établissement de remise en forme sis dans la même ville. Elle pourrait donc satisfaire une grande variété de clientèle. Enfin, elle avait tenu le domaine d'un riche baron, au nord d'Amn. Cette perle avait su attirer l'attention d'un homme assez fortuné pour s'offrir tout ce qui s'achetait en ce bas monde… et garder le meilleur. En outre, la demi-elfe ne manquait pas d'entregent, puisqu'elle comptait parmi ses illustres connaissances le prince Hasheth en personne. Qui disait mieux ? Garder d'heureuses relations avec le pouvoir en place, voilà qui faisait nécessité dans le commerce.

Restait une question. Prenant une pincée de poudre dans un coffre, Pénélope souffla dans les airs... Le pendentif en ivoire de la demi-elfe scintilla. Preuve qu'il était magique. La postulante ne s'en émut nullement. Mais comment aurait-elle réagi si elle avait appris qu'elle était soudain envoûtée par un sort de vérité ?

— A quoi sert ce pendentif ?

La « perle rare » sourit.

— L'amulette permet de respirer sous l'eau. Dans ma branche, c'est une aptitude qui peut se révéler très... utile.

Pénélope hoqueta en rougissant... avant de prendre l'air songeur.

— Vous pourriez commencer demain ?

Arilyn remontait le tunnel, concentrée sur la distance et la direction à prendre. A ciel ouvert, sur les landes ou au cœur des forêts, elle n'avait aucune peine à se diriger. Mais sous terre... son sens de l'orientation était perturbé. Par bonheur, ce boyau-là, trop bien caché pour nécessiter des tours, des détours ou des passages multiples, était court et assez droit. Il passait sous le palais d'Assante.

Après une pente abrupte, la Ménestrelle atteignit la source minérale... qui devait réserver une ou deux surprises.

Sans hésiter, Arilyn plongea et nagea le long d'un boyau immergé, remarquant bientôt, à travers des orifices ronds, des crustacés géants aux carapaces translucides et aux antennes frémissantes. Les monstres lui apportèrent la solution à une énigme : dans leur ventre flottaient les dépouilles à demi digérées de plusieurs esclaves. Quand un crustacé se rapprocha, les restes d'un petit homme apparurent… Au fond du boyau, Arilyn vit des pierres et des bouts de corde… En « nettoyeurs » efficaces, les crustacés avalaient tout ou quasiment.

Les crustacés étant trop gros pour se faufiler par les orifices, Arilyn les observa quelques instants, histoire de déterminer leur mode de locomotion et leur rapidité. Puis elle dégaina sa lame de lune et attendit. Quand une créature arriva à portée, elle frappa à travers l'orifice… et lui sectionna trois pattes. Instantanément, les autres fondirent sur elles pour les avaler. Leur congénère blessée tenta en vain de s'éloigner. Elle était condamnée…

Certaine que les crustacés géants resteraient occupés quelque temps, la Ménestrelle s'infiltra par un orifice et nagea à toute vitesse en direction d'un faisceau de lumière… espérant déboucher dans une pièce déserte du palais.

Bien vu… Mais elle inspecta les lieux avant de se hisser au sec. Le « puits » se situait dans une salle ronde, basse de plafond, et trouée d'une dizaine d'arches. L'air y était saturé d'humidité. Un sous-sol ? Pourtant, la pièce entière était habillée de marbre rose. Des canalisations amenaient l'eau de source à une baignoire. Des serviettes, des bougeoirs argentés, une aiguière et des gobelets étaient disposés sur une table. Notant au premier coup d'œil une fine couche de poussière sur tout cela, Arilyn se douta que ce matériel était surtout destiné à endormir la méfiance d'éventuels intrus…

Assurée d'être seule, elle se hissa sur la margelle en marbre, sortit un carré en lin de son sac imperméable et se sécha rapidement. Elle ne voulait laisser aucune trace, fût-ce des empreintes de pas humides… La soie fine qu'elle avait portée en prenant son service aux *Sables Moussants* était idéale pour ce genre d'excursion : elle séchait très vite. Et teinte en rose, elle se fondrait à merveille dans le décor.

Des bruits de pas, des halètements, des grognements, des clapotis… La Ménestrelle se tapit derrière la fontaine, les sens aux aguets. C'était l'occasion rêvée…

Un nain plutôt jeune entra. Soixante-dix ou quatre-vingts ans… Il traînait un seau d'eau, une serpillière jetée sur une épaule…

Aussi aguerrie fût-elle, Arilyn aurait préféré se frotter à n'importe qui plutôt qu'à un nain. Elle le regarda se mettre à l'ouvrage en grommelant. Epée au poing, elle avança à découvert, renversant le seau d'un coup de pied… Le nain se retourna et découvrit la guerrière campée devant lui. Il voulut charger.

Il n'avait pas fait trois pas quand il s'étala de tout son long, se heurtant le crâne. Arilyn lui plaqua la pointe de son épée sur la gorge.

— Conduis-moi à la chambre au trésor !

— *Aux* chambres…, rectifia machinalement le vaincu d'une voix de basse. Des quantités ! Toutes gardées par des colosses plus hargneux que ma belle-mère… Je n'ai pas les clés. Aucun serviteur du palais ne les a.

— Nul besoin. Et celui qui me vaincra à l'épée n'est pas encore né…

Le nain n'était pas en position de le contester.

— Pour une elfe, vous ne manquez pas de culot ! Connaîtriez-vous un moyen de sortir de là ?

— Le même qui m'a permis d'entrer.

Une lueur dansa au fond des yeux du nain.

— Je sais me battre. Pour peu que vous me passiez un des couteaux qui battent vos flancs… Prenez-moi avec vous et par la barbe de Morodin, je suis prêt à tout ! Pour quitter cet enfer, je vous laisserais même piller les tombes de mes aïeux !

Arilyn hésita. Elle n'avait pas le cœur à abandonner un être intelligent dans les chaînes de la servitude. Elle rengaina son épée et recula. Le nain se releva. Elle lui jeta un couteau qu'il rattrapa au vol.

Lui faisant signe de le suivre, il quitta la pièce et s'engagea dans un couloir.

Il arriva devant une porte gardée par trois hercules armés de cimeterres. Et prouva vite sa valeur de guerrier…

En peu de temps, les deux alliés eurent vaincu les sentinelles. Ils traînèrent leurs dépouilles jusqu'au puits et les jetèrent aux crustacés géants avant de revenir devant la chambre au trésor. Dans son sac, Arilyn prit le coffret subtilisé à Pénélope, l'ouvrit et lança une pincée de poudre sur la porte. Pas de scintillement bleu caractéristique… Faisant signe au nain de s'écarter, la Ménestrelle étudia la serrure protégée par trois ressorts mortels…

Il fallut deux heures pour en venir à bout.

Enfin, la porte s'ouvrit sans grincer.

Ils entrèrent.

Les chambres au trésor étaient plus sombres et silencieuses qu'une nuit sans lune. Mais les intrus avaient tous deux le don d'infravision… Passant d'une pièce à l'autre, sans nul besoin de torche ou de bougie, ils allaient de surprise en émerveillement.

Quelle somptueuse collection de raretés, sans doute unique dans son genre !

Des peintures, des sculptures, des chefs-d'œuvre de taxidermie, certains sur des animaux disparus depuis des générations, des piles de toutes les monnaies du monde, assez d'incunables et de livres rarissimes pour satisfaire une dizaine d'érudits, des vases aux couleurs brillantes, des salamandres coulées dans des pierres semi-précieuses, des épées incrustées de joyaux, les couronnes de monarques depuis longtemps retombés en poussière, des manteaux d'hermine brodés de fils de soie et de perles, des sceptres d'or aux runes exotiques…

… et une délicate tiare d'argent sertie d'améthystes mauves.

La Ménestrelle se pencha, l'enveloppa d'un linge et la fourra dans son sac.

— Allons-y, chuchota-t-elle à son compagnon.

Qui faillit s'étrangler de stupeur.

— *Quoi ?* Vous ne voulez rien emporter d'autre ? (Quand elle hocha la tête, il s'empressa de remplir ses poches en maugréant :) Après dix ans d'esclavage, j'ai le droit à un dédommagement !

Arilyn en convenait volontiers… mais l'or et les gemmes pesaient lourd.

— Nous repartirons à la nage.

Le nain s'immobilisa et pâlit.

— La source ?

Elle acquiesça.

Il grogna de dépit, avant de hausser les épaules.

— Bah… Je savais que j'y passerais tôt ou tard… Autant tenter sa chance tant qu'on est encore en vie, pas vrai ? Qu'y a-t-il là-dessous ?

Arilyn le lui révéla.

Le nain se délesta d'une grande part de son butin, mais garda une dague incrustée de joyaux.

Ils revinrent sur leurs pas. Près de la porte d'entrée, un sarcophage attira l'œil de la Ménestrelle. Un couvercle de verre poussiéreux… Elle le frotta d'un revers de manche et découvrit…

… Une elfe.

Ni vivante ni vraiment… *morte*. La gisante paraissait… vide. Il n'y avait pas d'autres termes pour la caractériser. L'essence de la malheureuse s'était volatilisée, laissant son enveloppe charnelle plongée dans une sorte de stase.

La tenue, la fine cotte de mailles et les bijoux de l'inconnue étaient très anciens.

Et son visage semblait curieusement familier… Une tresse aux reflets bleu saphir sur une épaule… Une couleur de cheveux rarissime parmi les elfes de lune qu'Arilyn associait toujours à sa mère.

Troublée, elle remarqua un petit bouclier dont les armoiries représentaient deux formes géométriques identiques cherchant à se rejoindre…

Le cœur de la Ménestrelle lui manqua. Elle *connaissait* ce symbole ! Elle dégaina sa lame de lune, où étaient gravées neuf runes… dont celle-là.

— Fichtre ! lâcha le nain. J'avais entendu parler de ce genre de choses… Sans y croire !

Arilyn aussi avait entendu son lot d'histoires à dormir debout. Précisément… Des princesses ou des héros plongés dans le sommeil jusqu'à ce que les dieux ou les caprices du destin les ramènent au monde pour résoudre les crises les plus graves… Arilyn n'y avait pas cru une minute.

Mais devant cette elfe en hibernation, tout devenait soudain possible…

Pour une fois, la Ménestrelle maudit son ignorance du folklore elfique et de l'histoire de sa propre épée.

— Partez devant, dit-elle à son compagnon. Je vous rejoindrai.

Avec un sourire carnassier, le nain lança :

— Mettez le chaudron sur le feu : il y aura des crustacés à dîner ce soir !

Peu après, Arilyn l'entendit plonger dans l'eau de source.

Restée seule, elle revint à sa macabre découverte. Le contact entre la lame de lune et le dôme en verre provoqua un éclair magique… L'arme et la guerrière étant liées de façon énigmatique, Arilyn *sentit* que son épée, douée de conscience, reconnaissait son ancienne maîtresse… Pas de doute, elle se trouvait devant une de ses aïeules… Comment était-ce possible ? Comment cette guerrière avait-elle connu pareil destin ?

De l'histoire de l'épée, elle connaissait uniquement le nom de ses propriétaires successifs et les pouvoirs qu'ils lui avaient insufflés. Son mentor, le fourbe elfe doré Kymil Nimesein, s'était plus ingénié à l'exploiter qu'à l'éduquer.

L'angoisse qui émanait de la lame de lune menaça de la submerger.

Arilyn se remémora le peu qu'elle savait. Neuf personnes, dont elle, avaient manié l'épée depuis qu'on l'avait forgée à Myth Drannor. Si elle connaissait les dons magiques de son arme, elle était incapable d'attribuer à chacun la rune le symbolisant.

Qui était cette elfe ? Le verre aurait-il des réponses à offrir ?

Beaucoup d'humains ne réalisaient pas que cette matière, loin d'être solide, était en réalité un liquide d'une viscosité extrême. Son écoulement restait trop lent pour être mesuré par un œil humain. Au fil des siècles, un panneau de verre s'épaississait à la base… Avec du temps, toutes les fenêtres s'ouvraient – par le haut. Les elfes le savaient. Mais comment mesurer ce flux sans briser le verre ?

A seconde vue, Arilyn remarqua que le dôme

n'était pas scellé. Avec la pointe d'un couteau, elle élargit légèrement une fissure pour prélever un éclat de verre, et recommença à l'autre bout du sarcophage. Puis elle empaqueta avec soin les éclats. D'un coup d'œil, Tinkersdam évaluerait leur âge.

La gisante était plus menue et délicate que sa descendante. Sa main gauche portait les callosités dues au maniement régulier des armes.

L'indignation de la Ménestrelle en fut à son comble. Comment cette noble guerrière avait-elle pu échouer dans une collection à titre de « curiosité » ? C'était obscène !

Quittant la salle, Arilyn se jura de tout faire pour réparer le mal. Elle reviendrait et délivrerait son ancêtre.

Mais seule, elle n'arriverait à rien.

Revenue au puits, elle plongea.

Entre-temps, le nain ne s'était pas tourné les pouces... En nageant, elle croisa les carapaces vides de deux crustacés géants, proprement débités en tranches. Les survivants festoyaient à qui mieux mieux. Ils continueraient à se remplir la panse des jours durant.

Un bouillonnement attira l'attention de la nageuse. Un énorme crustacé avait eu la stupidité de gober vif le nain. Sa dague flottait à proximité, ballottée par les remous du monstre.

Couteau tiré de son ceinturon, Arilyn approcha. Aux prises avec une horrible indigestion, le crustacé ne vit pas approcher ce nouvel ennemi.

Mais le nain ne tarderait plus à mourir étouffé...

Arilyn plongea sa lame entre deux segments abdominaux, enfourcha le monstre, genoux serrés sur ses flancs, et entreprit de le dépecer vivant. Dès qu'elle eut percé la poche de l'estomac, le nain en fut expulsé.

La demi-elfe gagna ensuite le bon embranchement, tirant son compagnon par la barbe. Ils filèrent dans le boyau comme des bolides avant de crever la surface de l'eau, à l'autre bout. Le nain aspira l'air à pleins poumons.

Ils se hissèrent au sec, et attendirent, les bras en croix, que leurs cœurs se calment.

— Vous m'avez tiré par la barbe…, grommela le petit rescapé. Vous n'auriez pas dû.

— Inutile de me remercier…, ironisa Arilyn.

— Je m'appelle Jill, au fait.

Pour un nain, donner son nom, ou même un diminutif, valait tous les remerciements.

— Jill ?

— Ça vous pose un problème ?

— Euh… Non. J'attendais un nom plus long, plus… prosaïque et viril… en quelque sorte.

— C'était le surnom de ma mère !

— Maintenant que vous avez vu les trésors de votre ancien maître, vous voudrez y retourner, n'est-ce pas ?

Une déduction logique, attendu l'amour immodéré des nains pour les trésors de toutes sortes, qui n'avait d'égal que celui des dragons. Si la perte d'une tiare et d'un esclave nain pouvait passer inaperçue, l'incursion d'une bande de pillards entraînerait à coup sûr la condamnation du tunnel et de la source d'eau. Assante y veillerait.

— Vous plaisantez ? Après dix ans passés dans cet enfer, vous croyez que je n'aurais rien de plus pressé que d'y remettre les pieds pour des babioles ? Dans vos rêves ! Si vous avez oublié quelque chose là-bas, ma chère, je vous en prie… Mais ne comptez pas sur moi. *Rien* ne vaut qu'on y laisse sa peau !

Tournant ses regards à l'est, vers les monts Etoile-Spire, son foyer, le nain ne cachait pas sa hâte d'y retourner.

Peu après, ils dévalèrent la pente rocailleuse.

La tiare entre ses doigts boudinés, le seigneur Hhune la regardait avec satisfaction.

— La relique d'une lointaine époque... La couronne nuptiale de la jeune Lhayronna qui épousa son cousin, le roi Alehandro III. Mais qui coiffe la couronne doit affronter l'épée ! ajouta-t-il pieusement, citant un proverbe téthyrien.

Et il n'y a pas pire sourd que celui qui ne veut pas entendre..., ajouta *in petto* Arilyn.

Hhune était un homme puissant à Zazesspur. Maître de la guilde navale, il siégeait en outre au conseil municipal... Il était à coup sûr au nombre des comploteurs déterminés à renverser le pacha Balik. La mission « tiare » était pour la Ménestrelle l'occasion de rencontrer Hhune et de prendre sa mesure. A chaque minute passée avec lui, sa défiance augmentait. A en croire la rumeur, il avait tué un dragon rouge. Si le bébé monstre n'avait pas tout à fait éclos... peut-être... Malgré sa carrure, Hhune avait l'air de passer son temps à gober les petits-fours, pas à manier l'épée. Quelqu'un de moins observateur aurait néanmoins pu lui trouver des allures distinguées, sinon seigneuriales. Ses vêtements sombres à la coupe de qualité atténuaient sa corpulence ; ses cheveux et ses moustaches noires commençaient à se strier de fils gris. Mais ce n'était pas le premier homme ambitieux à qui Arilyn avait affaire. Et comme les autres, celui-là ne se contenterait jamais de ce qu'il avait. La Ménestrelle connaissait assez l'histoire du Téthyr pour se douter de ce que Hhune mijotait.

Avec la chute de la dynastie, les royalistes avaient fui à Zazesspur. Au fil des ans, un mouvement de restauration de la monarchie avait vu le jour, visant à fonder une nouvelle lignée. Et Balik semblait tout désigné. Mais Arilyn doutait que le mouvement loyaliste soutienne longtemps cet arriviste. Les accointances sudistes du pacha crevaient les yeux, son entourage comptant un nombre croissant de Calishites et d'Halruaans. Bientôt, le pacha serait déposé et un autre s'empresserait de prendre sa place. Avec en sa possession un objet aussi chargé de symbole que la tiare, Hhune, pour n'importe quelle famille propulsée au pouvoir, serait l'homme à avoir dans sa manche...

Qui savait s'il n'en ferait pas le tremplin de son accession au trône ? Et pourquoi pas ? Pourtant, la jument d'Arilyn pouvait se targuer de plus nobles ascendants que l'homme assis en face de la Ménestrelle... Hhune possédait le titre de seigneur grâce au domaine qu'il avait acquis quelques années plus tôt. Et pour aucune autre raison... C'était loin d'être une exception. Au Téthyr, les biens immobiliers comptaient plus que tout. En avoir beaucoup octroyait automatiquement des titres de noblesse. Après l'anéantissement de la famille royale – et le massacre des lignées apparentées –, les terres seigneuriales, les comtés, voire les duchés, avaient changé de mains comme des colifichets les jours de foire. Les hommes et les femmes assez fortunés pour acquérir des titres de propriété y avaient simultanément gagné leur noblesse.

Le Téthyr grouillait de barons et de comtesses d'opérette.

Une situation qui offensait les sensibilités elfiques d'Arilyn, avec son respect des traditions et ses espoirs cachés de fonder une famille. Même la basse

« noblesse » du pays commençait à être dévorée d'ambition. A peine la menace contre le pacha écartée, Zazesspur bourdonnait de nouveau de rumeurs alarmistes. Tel baron levait en secret une petite armée… On allait voir ce qu'on allait voir !

Au Téthyr, on ne valait rien si on n'était pas ambitieux. Et Hhune pesait lourd sur la scène politique… Arilyn voyait passer dans son regard rivé sur la tiare des rêves de gloire. Le garder à l'œil s'imposait.

— Bien joué ! Si vous me dévoilez comment vous avez réussi à vous infiltrer chez Assante, je double votre récompense !

Arilyn s'y attendait. Un refus lui vaudrait de finir comme les serviteurs du palais rose… Elle avait donc préparé un demi-mensonge. Avec un sourire carnassier – une mimique efficace empruntée à Furet –, elle répondit :

— De temps à autre, Assante fait venir de nouvelles concubines. Il m'a suffi de guetter mon heure…

— Je vois. Une astuce vouée au succès, dans votre cas. Mais parlez-moi de la salle au trésor !

Ça, elle ne s'y était pas attendue ! Elle aurait pourtant dû tabler sur la convoitise du type.

— Quels autres objets avez-vous rapportés ? J'aimerais beaucoup y jeter un coup d'œil…

— Désolée, mais je n'ai pu prendre que la tiare. Un costume de concubine offre peu de cachettes, vous savez. Néanmoins, j'ai pu détruire un certain nombre de choses que je ne pouvais pas emporter…

Il apprécierait forcément le coup bas porté à son rival.

Le maître de guilde gloussa de ravissement.

— Splendide ! Pas trop, toutefois, j'espère ?

— Je ne saurais décrire les merveilles qui restent intactes.

— Une autre expédition, dans ce cas… ?

— Pas de sitôt. Quand j'y retournerai, ce sera pour régler une affaire personnelle.

Après un silence, Hhune hocha la tête.

— De tels projets exigent des préparatifs minutieux… (Il supposait, comme elle l'y avait incité, qu'elle envisageait d'éliminer le maître assassin.) Vous aurez des frais à couvrir. Veuillez me transmettre les factures. Avec toute la discrétion souhaitable, cela va sans dire… En échange, vous me laisserez faire mon choix dans les trésors que vous vous approprierez.

Tu pourras les avoir tous, pensa Arilyn.

Sauf un !

CHAPITRE V

Le jour tirait à sa fin. Même si les feuillages empêchaient la lumière de filtrer, et les ombres de s'allonger, Renard-de-Feu le savait d'instinct.

L'elfe était à des lieues de Hautes Futaies, le repaire secret de sa tribu. Mais ses deux compagnons et lui couvraient aisément de grandes distances, aussi discrets et alertes que des daims. La forêt était le domaine réservé des elfes. Ses rythmes subtils faisaient battre le sang dans leurs veines et chanter leur âme.

Renard-de-Feu allait plein ouest, en direction d'un bosquet situé à un demi-jour de marche à l'est du comptoir Mosstone. En des temps plus heureux, la tribu Elmanesse avait commercé avec les humains. Puis un règne sanglant avait tout changé, ce roi étant acharné à chasser les elfes du royaume. Les Elmanesse s'étaient réfugiés dans les ombres de la forêt, proclamant leur indépendance via le Conseil elfique. Des années durant, tous ceux qui s'étaient aventurés dans les bois avaient dû se soumettre aux décisions du Conseil. Mais en ces temps troublés, même sa voix s'était tue. L'alliance elfique à la dérive, chaque clan et tribu avait repris sa liberté. La tribu Suldusk s'était « volatilisée » dans les profondeurs sylvestres du sud-est. Nul ne savait avec précision combien d'elfes vivaient là-bas.

Il subsistait une colonie près de la Clairière du Conseil. Les anciens restaient l'unique source d'informations de la région. Renard-de-Feu espérait y glaner une meilleure compréhension des événements.

Depuis des temps immémoriaux, les elfes occupaient la forêt du Téthyr. Mais pour la première fois en quatre-vingt-dix ans, Renard-de-Feu commençait à désespérer pour de bon... Les jours de son peuple étaient comptés. Trop de changements étaient survenus pour que les elfes puissent encore espérer les assimiler et s'y adapter. Par nature, Renard-de-Feu voyait toujours le bon côté d'une situation et ne doutait pas de réussir, quoi qu'il entreprît. Son don était d'inspirer cet optimisme à son entourage. Mais il ne pouvait se défaire de l'idée que de nouvelles ombres s'allongeaient sur le Téthyr... Au vu des événements récents, la tyrannie n'était pas loin d'y reprendre pied.

Les elfes s'armaient mal pour affronter cette nouvelle tempête. Renard-de-Feu avait encore dans les oreilles les insinuations de Bunlap. Des clans irréductibles attaquaient-ils vraiment les fermes et les convois ?

— Nous ne sommes plus très loin, souffla son meilleur ami, Korrigash.

Malgré le caractère taciturne de Korrigash, Renard l'aimait beaucoup. Depuis leur tendre enfance, c'étaient de vrais « frères ennemis » qui adoraient s'affronter et entrer en compétition. Que ce fût à l'épée, à l'arc... ou pour le sourire d'une belle. Mais en patrouille, ou au combat, Korrigash suivait son chef, s'en référant à lui pour tout.

Renard-de-Feu avait appris à écouter son ami, et à suivre son raisonnement.

Du bout de son arc, il désigna un bosquet de conifères.

— La clairière est derrière ces cèdres. Les sages nous diront si les allégations des humains ont du vrai.

Tamsin, le frère cadet de Korrigash, n'avait pas la langue dans sa poche. Il ne se priva pas de donner son avis.

— Du vrai, là où il n'y a pas une once d'honneur ? Nos ennemis ignorent l'un *et* l'autre ! Le peuple des bois aurait repoussé les envahisseurs ? Et après ? Si on faisait les choses à ma façon, chaque Oreilles Rondes serait « accueilli » d'une flèche dans le cœur ! Et puissent les Ombres d'Argent leur ronger les os !

— Toujours aussi réservé et mesuré dans tes propos…, ironisa Renard-de-Feu (en faisant d'une main le signe elfique de la paix).

On ne savait jamais quand les Ombres d'Argent frapperaient. Au risque de s'attirer leurs foudres, les téméraires et les têtes brûlées parlaient à leur aise de ces êtres mystérieux toujours à l'affût.

Les Elmanesse et les Suldusk n'étaient pas les seuls à peupler la forêt. D'autres clans encore plus étranges et secrets la hantaient. Les *Lythari*, des métamorphes tenant plus du loup que de l'elfe, vivaient au Téthyr quand les ancêtres de Renard-de-Feu occupaient encore Cormanthor. Parfois, les Elmanesse apercevaient une fourrure argentée, derrière des buissons, ou entendaient les chants mélancoliques de leurs frères énigmatiques.

— Prends garde, Tamsin, ajouta Renard-de-Feu. Qui sème le vent récolte la tempête. Réfléchis à ce qui se passerait si le peuple des bois en venait à considérer tous les humains sans exception comme ses ennemis !

Le jeune elfe haussa les épaules et se détourna… Pas avant que Renard-de-Feu n'ait surpris dans son regard la lueur féroce de la haine… Irraisonnée et implacable.

L'avenir s'annonçait plus sombre que les pires prévisions. Si la jeunesse elfique s'engageait sur la voie étroite de la haine…

— Ne traînons pas, dit Korrigash. La nuit sera bientôt là.

La forêt regorgeait de prédateurs nocturnes : les ogres, les araignées géantes, les loups, les striges, les wivernes, voire un dragon ou deux quand on n'avait vraiment pas de chance… De chasseurs, les elfes pouvaient toujours devenir des proies.

— Par les étoiles et les grands esprits ! cria soudain Tamsin avant de s'élancer à travers les fougères et les lianes.

Renard-de-Feu ravala sa réplique en voyant briller une dague dans la main de son compagnon. Tamsin sentait souvent le danger avant ses aînés. Et malgré sa fougue, il ne montait jamais à l'assaut sans raison. Après avoir échangé un regard inquiet, Renard-de-Feu et Korrigash empoignèrent leurs armes et le suivirent.

Derrière l'écran végétal, un spectacle de désolation s'offrit à eux.

Tamsin s'était immobilisé.

La belle clairière avait cédé la place aux vestiges d'une sorte de bivouac de marchands. Un grand cercle était carbonisé, les bords jonchés de brindilles noires. Les passerelles qui avaient relié les arbres aux foyers elfiques pendaient aux troncs calcinés. Des nids ou de leurs habitants, il n'y avait plus trace.

Renard-de-Feu eut la nausée en remarquant çà et là des os noircis.

Le Conseil appartenait au passé. Avec lui s'envolait en fumée l'ultime espoir du peuple des bois.

Lui tapotant l'épaule, le chasseur montra à son chef une flèche noire.

— Regarde la griffe…, conseilla Korrigash.

Renard-de-Feu vit sur l'empennage une marque familière : trois lignes courbes… La flèche était indubitablement à lui. Mais comment avait-il pu l'égarer ? Il n'avait jamais raté une cible, même enfant !

Il leva des yeux incrédules vers son ami.

— Comment… ?

— Les humains… Note la longueur.

Aussitôt, Renard-de-Feu comprit le subterfuge. On avait dû récupérer la flèche sur le cadavre d'un ogre ou d'un gobelour, en râpant l'extrémité déchiquetée et en refixant la pointe. L'œuvre des hommes, indiscutablement.

— Ils veulent nous dresser les uns contre les autres…

Renard-de-Feu acquiesça. Les griffes des meilleurs chasseurs et guerriers elfiques étaient bien connues. Ceux qui tomberaient sur ce carnage ne verraient pas forcément clair dans le petit jeu des humains.

Que visaient ces chiens ?

L'un d'eux le saurait… Soudain, Renard-de-Feu sut où chercher Bunlap.

Il se tourna vers Tamsin et lui posa une main apaisante sur l'épaule. Le jeune elfe revivait le carnage comme s'il y avait été. Le don de clairvoyance était davantage un tourment qu'une bénédiction. Mais celui de Tamsin rendait de fiers services à sa tribu. De plus, il communiquait par télépathie avec sa sœur jumelle. Et ce, aussi naturellement qu'il respirait.

— Avertis sur-le-champ Hautes Futaies. La tribu doit envoyer sans délai des guerriers en renfort au sud de Mosstone. Trente archers équipés de flèches vertes sans aucun signe distinctif.

Un ordre sans précédent. A l'aune des standards elfiques, les flèches vertes étaient des projectiles de facture grossière dépourvus de magie. Les rites entourant leurs armes reliaient les chasseurs-guerriers à leurs racines d'une façon que peu d'esprits auraient pu comprendre. Mais Renard-de-Feu serait scrupuleusement obéi. Sa tribu le tenait en estime, respectant ses directives et ses jugements.

— Nous attaquerons les fermes où nos frères sont détenus, ajouta-t-il.

— J'enverrai avec plaisir ce message à Tamara, conclut Tamsin, le regard fébrile.

Hasheth, le fils cadet du pacha, avait peine à trouver un style de vie adapté à ses ambitions. Quelques mois plus tôt, quand il courtisait la gloire et la richesse en faisant ses premiers pas d'assassin, on l'avait chargé d'éliminer... Arilyn. Non sans peine, Danilo et la Ménestrelle avaient convaincu le prince que cette mission était en réalité une sentence de mort... Les maîtres de la guilde des tueurs ne voulaient pas du fils du pacha dans leurs rangs. Depuis, Hasheth était l'allié des aventuriers. Il avait introduit Arilyn dans la guilde et entraîné Danilo dans les cercles privilégiés du palais. Etre devenu l'informateur des Ménestrels lui plaisait. Au Téthyr, l'intrigue n'était-elle pas la reine du bal ? Mais ces activités feutrées ne lui rapportaient pas la richesse et le prestige dont il rêvait. Après sa formation avortée d'assassin, il s'était essayé à une dizaine d'autres activités.

La dernière en date – gentilhomme fermier –, ne lui agréait nullement.

— J'ai raclé la crotte de mes bottes, laissant le manoir aux soins du régisseur, annonça Hasheth à Arilyn. La vie d'un hobereau de campagne n'a rien de prestigieux ni de fascinant ! Quel besoin aurais-je de titres ou de terres, moi qui suis le fils du pacha ?

En fait, s'il était anobli ou devenait propriétaire, il serait beaucoup mieux loti, pensa Arilyn.

Rejeton de harem, le petit dernier de surcroît, son statut s'apparentait en gros à celui d'un artisan de renom… avec des perspectives d'avenir nettement moins réjouissantes. Balik avait eu sept fils de ses épouses légitimes, son harem lui en donnant treize ou quatorze de plus. Hasheth avait au moins douze frères aînés. Assassin redoutable ou pas, il lui faudrait des années avant de venir à bout de la… concurrence… et succéder au pacha.

La demi-elfe hocha la tête, compatissante.

— La propriété foncière compte beaucoup. Mais la prospérité de Zazesspur tient d'abord au commerce. Avez-vous envisagé de vous lancer dans le négoce ?

— Moi, en marchand de légumes ? Ou de chameaux ? Vous voulez rire ?

— Pourquoi ne pas vous intéresser à la construction des bateaux ? Savez-vous que le maître de la guilde navale siège au conseil municipal ? Le négoce et la politique sont comme l'épée et la dague. Nulle part ailleurs ce n'est aussi vrai qu'à Zazesspur. Là, vous pourriez apprendre énormément et commencer à vous tailler la place dont vous rêvez. Qui contrôle le commerce influence toujours les dirigeants. Et Inselm Hhune est un homme dévoré d'ambition. Vous feriez bien de vous associer à son succès.

Hasheth dévisagea son interlocutrice.

— Et les Ménestrels le soutiendraient ?

A l'évidence, avec Arilyn, la suggestion n'avait rien d'innocent. Son avenir de prince n'était pas le seul facteur à considérer. La jeune femme eut un sourire penaud. Hasheth apprenait vite.

— Bien sûr que non. Hhune a les dents longues. Nous aurions intérêt à le tenir à l'œil. Mais pourquoi ne seriez-vous pas nos yeux et nos oreilles, justement ? Vous auriez tout à y gagner.

Ravi, le jeune homme prit un flacon de vin pour remplir le verre de sa compagne. Histoire de lui être agréable, Arilyn le vida aussitôt, sans que la lueur de convoitise du jeune homme, au fond de ses prunelles, lui échappe. Il ne désespérait pas de venir à bout des inhibitions de la belle, pour la mettre dans son lit. Arilyn avait vite appris à composer avec les attentions masculines. L'attitude d'Hasheth l'amusait autant qu'elle l'exaspérait. Le prince était convaincu de lui faire un grand honneur en la poursuivant de ses assiduités ! Arilyn avait appris à dire non de nombreuses façons. Son répertoire allait du gracieux signe de dénégation accompagné de regrets feints au coup brutal dans l'entrejambe du mâle entreprenant… Mais garder sa conviction en repoussant les avances d'Hasheth lui était de plus en plus difficile.

Par chance, le jeune homme s'intéressait plus à l'avancement de sa carrière qu'à ses visées libidineuses.

— Je demanderai à mon père de me mettre au service du seigneur Hhune.

— Entendu, mais sachez qu'il est probablement impliqué dans le complot visant à déposer le pacha. Il est même probable qu'il ait cherché à vous tuer. Vous seriez avisé de rester sur vos gardes.

Hasheth haussa les épaules, comme si tout cela ne le concernait pas.

— S'il est vraiment ambitieux, il prendra la voie royale…

Et moi aussi…, « entendit » Arilyn.

Une attitude qui n'avait rien de rassurant. Le jeune prince affichait un pragmatisme têtu. Lui non plus ne reculerait devant rien pour parvenir à ses fins. Tant que ses intérêts recouperaient ceux des Ménestrels, tout irait bien.

Quoi qu'il en soit, l'honneur exigeait qu'Arilyn lui donne un dernier avertissement.

— J'espère me tromper, Hasheth, mais à ce que je crois savoir, le règne de votre père touche à sa fin. Comment pourrait-il en être autrement quand il fait du tort à tant d'ambitieux Téthyriens en couvrant de faveurs des courtisans du Sud ?

— Et après ? Je suis trop éloigné du trône pour m'en émouvoir. Depuis longtemps, je sais que je devrai chercher fortune ailleurs. Mais merci de cette sollicitude, belle amie. Si nous passions à des occupations plus gaies ? Je vous ressers ?

D'un geste et d'un sourire, Arilyn déclina l'offre.

Hhune et Hasheth se compléteraient à merveille ! Elle leur souhaita beaucoup de bonheur ensemble…

Les échoppes de Zazesspur fermaient au crépuscule. Mais dans l'arrière-boutique des *Beaux Onguents* de Garvanell, les affaires continuaient. D'un tout autre genre…

Originaire de terres cultivées, du côté des Collines Pourpres, Garvanell avait vite démontré des talents qui juraient avec ses humbles racines. Les dieux lui avaient donné la beauté et un charme de flagorneur… dont il avait fait le meilleur usage auprès de riches rombières au soir de leur vie. Peu à peu, le jeune homme avait gravi les échelons de la société avant d'épouser une respectable veuve de Zazesspur, de vingt ans son aînée, à la solide carrure de matrone. Mais il y avait des compensations à tout… Sa tendre moitié faisait des affaires florissantes et vouait une passion dévorante aux cartes. Comme elle gagnait plus qu'elle ne perdait, Garvanell s'en félicitait… Sa femme le laissait enfin souffler un peu… Et gérer efficacement leur commerce de parfums et d'onguents. Si la moitié à peine des gains lui revenait, ça suffisait à maintenir un certain train de vie.

Un coup discret à la porte, un mot de passe murmuré… Il ouvrit à la charmante courtisane que lui envoyait son client favori. Il aimait la chair fraîche… Les yeux noirs en amande de la belle, sa tenue et son turban de soie suggéraient qu'il s'agissait d'une Orientale. Les reflets de la lampe éclairèrent une peau pâle comme de la porcelaine shou. Merveilleux !

Quand il referma la porte, le temple d'Ilmater commença à sonner les cloches. Il allait, par gestes, faire à sa belle visiteuse des excuses pour le désagrément… quand il ouvrit des yeux ronds.

Son turban et ses gants enlevés, la courtisane, d'un index, avait ôté sur sa joue l'onguent couleur ivoire dont elle s'était maquillée. Dévoilant sous ce fond de teint sa véritable couleur de peau… Cuivrée !

Avant que Garvanell soit revenu de sa surprise, elle lui bondit à la gorge, l'expédiant à la renverse. Lui tirant la tête en arrière, elle lui plaqua sa dague sur la gorge et murmura :

— Vous devriez être flatté… J'achetais tous mes onguents et mes cosmétiques chez vous… Hélas, ils déteignaient sur les draps. Un moindre mal puisque aucun homme ne vivait assez pour s'en plaindre !

Arraché à sa paralysie, Garvanell cria à l'aide.

Mais les cloches continuaient de sonner à la volée.

La tueuse compta les douze coups de minuit.

Au dernier, elle égorgea sa proie puis se releva.

Un autre crétin parlant à tort et à travers venait d'être réduit au silence. C'était aussi nécessaire que de chasser pour s'alimenter. Et d'une facilité déconcertante… Dans cette ville, Furet était comme un faucon lâché dans un pigeonnier.

Mais au fil du temps, elle devait admettre que ses talents, par ailleurs considérables, ne faisaient pas le poids face aux intrigues qui se nouaient d'un bout à l'autre de la cité. Pour démasquer la personne qu'elle était chargée d'éliminer, elle aurait besoin d'aide.

Une réalité difficile à accepter pour quelqu'un d'aussi fier et farouche qu'elle… L'idée même lui répugnait. Mais elle ne reculerait devant rien.

Vers qui se tourner ? A qui accorder une once de confiance ?

Frustrée, elle ramassa son turban et ses gants, puis rectifia son fond de teint avant de quitter les lieux.

Dans les auberges, on glanait souvent plus d'informations que dans une salle de Conseil.

Le jour se leva, radieux. Inselm Hhune admira la vue splendide qu'il avait du balcon de son étude. Son manoir se dressait fièrement sur une colline, dominant une succession de fermettes, le long des méandres du fleuve Sulduskoon. Au nord, au-delà de la route du négoce, on apercevait les toits de Zazesspur.

En ce début d'été, les terres fertiles et la région des Collines Pourpres s'épanouissaient. A l'ouest dansait la mer, dont on apercevait les reflets. Hhune tirait sa fortune du labeur des fermiers, des taxes fluviales qu'il percevait en partie, et des impôts. Ses activités de marchand et de maître de la guilde de la construction navale lui valaient une puissance dépassant de loin ses ambitions initiales. Et ce n'était qu'un début…

On frappa. Tiré de sa rêverie, Hhune se rappela qu'il devait s'agir de son nouvel apprenti venu se présenter et apporter des cadeaux, comme le voulait la tradition.

Quels présents un fils de pacha pouvait juger dignes de son maître ?

— Entrez !

Deux hommes en uniforme pourpre de la garde de Balik apparurent, flanquant une inconnue blonde aux oreilles légèrement pointues qui tenait une antique lyre d'argent. Les pupilles dilatées, presque noires, elle était terrifiée.

Plein de morgue, le prince Hasheth s'inclina devant Hhune. Non sans peine, le maître des lieux maîtrisa sa colère.

— Voici mon présent, dit le jeune homme en désignant la prisonnière. Elle a beaucoup à révéler.

— Je vous écoute.

— Hier soir, j'ai entendu cette barde interpréter une chanson récemment importée des Terres du Nord. Il m'a paru vital que vous l'écoutiez...

Hhune fit signe à ses hommes de lâcher la musicienne.

— Désolé, ma chère, pour la façon peu gracieuse dont on vous a conduite à moi. J'aimerais beaucoup entendre cette chanson. Mais vous m'obligeriez en acceptant d'abord un rafraîchissement...

Hhune tira sur une cordelette. Sa courtoisie rassura Arilyn, qui se voyait passer en quelques instants de la condition de prisonnière à celle d'invitée honorée.

Un domestique apporta du vin, des fruits et des douceurs. Le congédiant, Hhune assura le service. Il pria Silvanus, Sune et Ilmater, les divinités de la contrée, avant de proposer de trinquer en l'honneur du pacha Balik. Comme tout arriviste, il connaissait les convenances sur le bout des doigts et s'y conformait avec un zèle fervent.

Hasheth s'arma d'une patience qu'il n'aurait pas cru posséder. Sitôt les salamalecs terminés, il revint à l'attaque.

— Pourrions-nous écouter notre charmante invitée, maintenant ?

Ravalant une réplique acerbe, Hhune se tourna vers Arilyn.

— Si vous êtes prête, ma chère, nous serions ravis de vous écouter.

Avec un sourire séduisant, l'artiste prit sa lyre, pinça les cordes puis commença.

Au fil des couplets de la ballade, Hhune comprit pourquoi son nouvel apprenti tenait tant à ce qu'il l'entende. Il y était question de trahison, de fourberie et d'un héroïque jeune barde qui déjouait un complot visant à anéantir le corps des Ménestrels.

Les Ménestrels… Mentionner cette organisation secrète suffisait à le faire grincer des dents. Selon certaines rumeurs, ces fâcheux courtisaient vainement Balik, qui ne voulait pas entendre parler d'eux.

Hhune se demandait souvent pourquoi le complot contre le pacha avait échoué. Après tant de préparatifs impeccablement exécutés… Pourtant, les principaux conspirateurs avaient été retrouvés morts. Balik avait édicté de nouvelles lois qui limitaient les pouvoirs des guildes. A l'évidence, il avait été mis au courant de ce qui se tramait.

Qui avait trahi ?

Hhune dévisagea songeusement la demi-elfe à la lyre. Des Ménestrels à l'œuvre dans *son* Zazesspur ! Comme si le Téthyr manquait d'intrigants et de conspirateurs de tout poil ! Il fallait repérer et éliminer au plus vite cet agent…

Quand le silence eut succédé aux dernières notes de

la lyre, le seigneur des lieux tourna une mine radieuse vers l'artiste.

— Merci, très chère. Mon régisseur vous dédommagera généreusement. Mais pourriez-vous me dire où vous avez entendu ce récit ?

— Dans une auberge, mon seigneur, comme votre apprenti. Il est largement repris par mes confrères. L'auteur serait un Ménestrel.

— Sauriez-vous de qui il s'agit ?

— Hélas, non, seigneur. Mais il se serait désigné lui-même dans sa ballade.

Limpide ! Le bougre s'était mis en vedette ! Et Hhune ne le connaissait que trop bien…

Il rappela son serviteur et lui confia la demi-elfe qu'il faudrait ensuite escorter en ville.

Cela réglé, Hhune prit un siège face à son apprenti. L'identité du Ménestrel ne faisait aucun doute… Un nouveau venu originaire du Nord, riche et noble héritier d'un des puissants clans d'Eau Profonde… Cela invitait déjà à la suspicion. Mais avec un culot effronté digne des meilleurs voleurs, les Ménestrels avaient « caché » leur agent à la vue de tous ! Le type se payait le luxe d'occuper le devant de la scène ! Qui aurait soupçonné un stupide dandy d'être en réalité la vipère qu'on réchauffe dans son sein… ?

Qui aurait regardé à deux fois ce bouffon de Danilo Thann ?

Mais comment Hasheth avait-il découvert le pot-aux-roses ?

— Le pacha apprendra avec intérêt que ces Nordiques de malheur intriguent sous son nez…, dit Hhune, sondant prudemment les eaux.

— Il le sait déjà. Notre barde lui a chanté ces couplets… Je l'ai appris. Et je n'approuve pas.

— Mais l'homme sage accepte toujours un cadeau précieux, fût-ce des mains d'un ennemi…

Hhune ne pouvait décemment pas abonder dans le sens du prince. Après tout, c'était peut-être un piège… Et le jeune arriviste s'empresserait d'aller répéter à son père la désapprobation de Hhune.

— Le cadeau est fait, continua Hasheth. Nous n'avons plus besoin de cet homme.

— Nous ?

Hhune le dévisagea, guettant sa réaction. A l'évidence, le prince n'avait pas tout à fait appris à masquer ses sentiments.

— Je suis à votre service. Il m'a semblé que la présence d'un Ménestrel dans vos rangs ne serait pas à votre avantage.

Voilà qui répondait à bien des questions. Tout était possible… y compris que Hasheth joue en réalité les espions à la solde des Ménestrels.

Ce serait de bonne guerre. Et une arme à double tranchant…

— Vous connaissez notre homme, insista Hhune. Vous avez visiblement un compte personnel à régler.

Danilo n'était-il pas un fringant jeune homme qui multipliait les conquêtes féminines ?

— Une femme, peut-être ? Ah… Je vois que j'ai touché la corde sensible… Et vous voulez éliminer votre rival.

— Ce n'est pas si simple. A supposer… Etant votre apprenti, je n'agirais pas sans votre aval.

— Disons que vous l'avez… Que feriez-vous ?

— J'engagerai tous les assassins de la guilde pour le traquer. C'est plus qu'une affaire personnelle. Aucune prime ne sera trop élevée pour réserver à ce traître le sort qu'il mérite !

Hhune secoua la tête.

— Rongez votre frein trois jours de plus. Cet idiot a des amis influents à Eau Profonde. Agir précipitamment pourrait nous attirer leurs foudres. Avant de frapper, laissons la chanson continuer son bonhomme de chemin dans les esprits. Les Ménestrels hésiteront à venger un agent assez stupide pour s'être dévoilé lui-même !

— Cette ballade...

— ... Sera reprise dans toutes les tavernes de Zazesspur. J'y veillerai.

Tirant une pièce d'or de sa poche, il la lança au prince qui la rattrapa au vol, l'étudia... et regarda son maître avec des yeux neufs...

... Les prémices d'un authentique respect.

— Je vois que vous reconnaissez ce symbole. Tant mieux, car votre père doit son trône aux Chevaliers du Bouclier. Si vous entrez à mon service, il vous faudra mesurer l'importance de ma position au sein de cette société secrète. L'*information* est vitale. C'est le nerf du pouvoir. Nous nous comprenons ?

— Oui, seigneur.

— Bien. Sachez également qu'il se passe très peu de choses, dans ce royaume, que les Chevaliers n'aient prévu et planifié. Au nord, la donne est différente. Si nos agents réussissaient à infiltrer les Ménestrels, cela pourrait changer. Est-ce possible, à votre avis ?

— Oui, seigneur.

Le menton levé, Hasheth parlait avec une belle assurance. Il y avait donc un autre Ménestrel à part ce gêneur de Thann..., déduisit Hhune. La femme pour qui le prince était prêt à trahir un allié, peut-être ?

— Elle est très belle, votre Ménestrelle ? demanda innocemment le Chevalier.

— Une déesse, seigneur ! lâcha Hasheth...

... Avant de s'aviser de sa bévue.

Son interlocuteur gloussa.

— Peu m'importe où vous trouvez vos plaisirs, mon cher. Et l'identité de cette Ménestrelle m'indiffère, pour l'instant. Gagnez sa confiance. Prouvez que vous êtes un informateur précieux. Ainsi, vous me servirez au mieux.

— Certainement, seigneur.

Etant un juge assez fin des caractères, Hhune ne douta pas qu'il en serait ainsi. L'ambition dévorait le jeune prince. Il ne reculerait devant rien pour atteindre ses objectifs.

— Retournez en ville. Mon scribe, Achnib, vous mettra au courant de mes affaires. Apprenez vite et bien avec lui. Nous en parlerons à mon retour.

— Votre retour, seigneur ?

— Chaque été, je vais à Eau Profonde à l'occasion de la foire. Lucia Thione m'y fait son rapport. Evoluant dans les hautes sphères sociales et commerciales, c'est un agent très précieux.

Le jeune prince fut dûment impressionné. La famille Thione était apparentée à la lignée royale du Téthyr. Après la chute du roi, peu de ses membres avaient échappé à la curée... Qu'une survivante soit l'alliée des Chevaliers du Bouclier ajoutait incontestablement au prestige de la confrérie secrète.

Tout, sans excepter la loyauté, avait un prix. Hhune avait maintenant dans sa manche le fils cadet du pacha... qui était également un homme de confiance des Ménestrels !

L'avenir promettait.

Pour Arilyn, la nuit fut interminable. La mystérieuse guerrière la hantait.

Après un sommeil agité, des voix elfiques lui résonnant encore aux oreilles pour exiger que le mal soit réparé, elle se réveilla peu avant l'aube.

Ses yeux volèrent vers la lame de lune, posée sur sa table de chevet. Puis elle se leva, s'habilla et s'arma avant de se camper devant la fenêtre. Consciente d'une réalité incontournable, elle regardait sans la voir la ville assoupie. Après un silence de deux ans, l'ombre de l'elfe, l'essence de la lame de lune, la sollicitait de nouveau. Une fois de plus, l'esprit de l'épée ensorcelée lui présentait ses exigences.

La dernière fois, une vingtaine de Ménestrels avait péri avant qu'Arilyn identifie la voix de sa propre épée. Faire la sourde oreille aux ordres de la lame de lune coûtait énormément. Elle le savait.

La matinée passa avant qu'Arilyn trouve le courage d'affronter sa Némésis. Elle n'avait pourtant rien d'une couarde. N'avait-elle pas combattu des guerriers, des monstres de tout poil et connu les horreurs de la guerre ? Une seule chose l'effrayait encore : les pouvoirs mystérieux de sa propre épée.

Certains aspects lui étaient connus. Elle s'en servait au mieux. La lame de lune l'avertissait du danger, lui permettait de se déguiser et lui conférait une résistance au feu qui lui avait sauvé la vie plus d'une fois. C'était l'ombre de l'elfe, sa propre image dédoublée, qu'elle redoutait…

La Ménestrelle posa une main sur la garde de l'épée… qui scintilla.

Une brume bleue s'en désolidarisa, planant dans les airs avant de prendre une forme familière… Une « jumelle » se dressa devant la jeune femme, aussi réelle qu'elle à plus d'un titre.

Elles se dévisagèrent.

— Bonjour, petite sœur…, dit l'ombre de l'elfe

avec les mêmes accents de contralto qu'Arilyn.
J'espérais que tu me rappellerais plus tôt.

La Ménestrelle croisa les bras, sur la défensive.

— J'étais occupée.

Son double eut un sourire triste.

— Tu te reproches encore la mort de ces Ménestrels… Pourtant, c'est moi qui les ai tués.

— Il y a une différence ? demanda Arilyn, amère.

— Oui. Pour l'instant, du moins.

La demi-elfe fronça les sourcils, perplexe.

— Voudrais-tu m'expliquer ?

— Le désires-tu vraiment ?

— Qui es-tu ? La lame de lune ? Ou moi ?

— Les deux, et ni l'une ni l'autre… Chaque propriétaire lègue à une lame de lune quelque chose de
lui-même. Un talent… Mais la source de ce pouvoir
t'échappe. Au contraire de tes prédécesseurs, tu as
reçu l'épée ensorcelée sans rien savoir de ses secrets.

— Je t'écoute !

— Ce n'est pas si simple… Nous parlons d'an-
tiques artefacts elfiques. Les mystères qui présidèrent
à leur création ne pourraient pas être décrits de façon
adéquate. Pas plus que je ne saurais te faire découvrir
avec de simples mots une mélodie que tu n'aurais
jamais entendue ou une couleur que tu n'aurais jamais
vue.

— Continue.

— Avant tout, laisse-moi souligner que la lame de
lune t'a acceptée alors que tu étais une enfant. Et une
hybride ! Un fait sans précédent. La décision ne fut
pas prise à la légère. Mais il fut prédit que tu rendrais
aux elfes un très grand service.

— Le portail elfique…

Celui d'Eternelle Rencontre.

— Cela aussi, mais pas seulement. Ensuite, tu t'es

mise au diapason avec la lame de lune, ton héritage. C'est là que je suis entrée en scène. Faute d'une meilleure description, je personnifie ton union symbiotique avec l'épée.

— Je vois. Toutes les lames de lune ont-elles des doubles comme toi ?

— Par l'océan et les étoiles ! Certainement pas ! La possibilité d'invoquer une ombre de l'elfe est un des dons qui furent légués à ton épée. Par Zoastria...

Quelque chose, dans le ton de son double, souffla à Arilyn que c'était le nom de la mystérieuse guerrière endormie...

— Voilà l'origine des rêves qui me hantent... Je n'avais plus eu ces visions depuis l'affaire du Ménestrel meurtrier... Pourquoi reviennent-ils maintenant ? Si tu incarnes *mon* union avec l'épée ?

— A l'instar de tes prédécesseurs, tu lui as conféré un don particulier. Avec la magie, le coût est élevé. Mon nom est bien choisi, car *je suis l'ombre de ce que tu deviendras*.

Se refusant à comprendre, Arilyn la dévisagea.

Mais au fond, elle avait *toujours su*.

— Alors, quand je mourrai...

— Tu ne mourras pas, *stricto sensu*. Ton essence sera absorbée par l'épée. Ce sera la source ultime de sa magie.

Arilyn se détourna, tentant de contrôler ses émotions.

— En résumé... Cette épée est une sépulture ! Elle retient l'âme de mes prédécesseurs...

— Non ! C'est une explication simpliste et grossière, voire tout à fait erronée ! A de rares exceptions près, les elfes sont immortels. Nous passons de ce monde au plan d'Arvandor sans mourir. Mais celui qui accepte une lame de lune se résigne de ce fait à retarder son passage à Arvandor de quelques milliers d'années. Ses objectifs remplis, quand l'épée se désactive, les âmes sont libérées. C'est un énorme sacrifice, mais les cœurs nobles y consentent avec joie, dans l'intérêt de notre peuple.

— Et moi, dans tout ça ? Je suis *à demi* elfique ! Arvandor me sera toujours inaccessible, de toute façon, et les elfes que j'ai croisés sont convaincus que je n'ai pas d'âme ! Que deviendrai-je ? Que deviendrons-nous, toutes les deux ?

L'ombre de l'elfe secoua la tête.

— Je l'ignore. Nul ne le sait. Tu es la première hybride à manier une arme pareille. Au risque de concurrencer les prêtres à deux sous qui débattent de l'après-vie, je dirais qu'il te faudra le découvrir par toi-même.

— Mais une éternité de servitude m'attend, n'est-ce pas ? Je jouerai les bons génies dans leur lampe de bronze ? Désolée, mais ne comptez pas sur moi !

— Tu n'as pas le choix.

— Foutaises ! Je n'ai rien signé, que je sache !

— Quand tu as dégainé l'épée pour la première fois, tu as scellé ton destin.

— Je m'y résignerai lorsque j'en serai réduite à boire le thé avec l'ombre de Zoastria ! Pas avant ! Il y a sûrement une alternative. Où trouverai-je quelqu'un qui saurait me renseigner ?

— A Arvandor. Et peut-être à Eternelle Rencontre.

Ecœurée, Arilyn leva les bras au ciel. L'un comme l'autre lui étaient inaccessibles. Et même au nom de son âme – à supposer qu'elle en eût une –, elle n'accepterait pas quelque chose d'immérité des mains du peuple de sa mère.

D'immérité…

La Ménestrelle se rappela l'ordre de mission de la

reine et sut ce qui lui restait à faire. Elle relèverait le défi et trouverait comment dépasser les plus hautes attentes de la souveraine. A *sa* façon et à *ses* conditions !

Alors, Amlaruil d'Eternelle Rencontre paierait cette réussite éclatante au prix fort.

Arilyn affronta son double.

— Retourne dans l'épée. Là où je vais, les clients voient déjà trouble...

CHAPITRE VI

— Ça fait des jours et toujours pas de signe des
elfes ! s'inquiéta Vhenlar. Comment savoir quand ils
viendront ? Autant vouloir épier sa propre ombre ! Ce
sont de vrais fantômes ! Pour ce qu'on en sait, nos
guetteurs gisent peut-être sous des buissons, un
deuxième sourire en travers de la gorge !

Bunlap lança un regard noir à son lieutenant.

— Peut-être. Mais dans ce cas, *je* le saurai.

Il palpa la joue balafrée par son ennemi : trois
lignes incurvées…

Dans une clairière, ses hommes avaient fait prisonniers une poignée d'elfes malingres qui avaient
opposé une résistance de tous les diables ! Dire qu'il
s'agissait de femelles et de leurs mioches, par-dessus
le marché ! Les mercenaires les avaient épargnés pour
en faire des appâts. Avec un peu de chance, à la vue
des flèches noires judicieusement disposées sur les
lieux, les autres clans seraient tentés d'attribuer
l'ignoble attaque au chef à la crinière de feu.

Bunlap adorait la perspective de dresser les clans
les uns contre les autres. D'ailleurs, on le payait pour
ça !

Il estimait avoir bien préparé son guet-apens : sa
troupe était répartie entre le premier étage vaguement
aménagé d'une sorte de grange, percée de fenêtres, et

le sol de terre battue visible à tout vent, à peine protégé par quatre murets bas.

Les prisonnières enchaînées étaient nettement visibles de l'orée des bois.

Assis à une fenêtre, le capitaine se curait les ongles avec la pointe d'un couteau. Il avait vue sur les champs qui s'étendaient entre la grange et la lisière de la forêt. Les feux du crépuscule dansaient sur la petite rivière qui délimitait les cultures. Les ombres s'allongeaient.

Dans la grange, les mercenaires se délassaient en jouant aux dés… Au fil des jours, ils craignaient de moins en moins les représailles.

Vhenlar, aussi nerveux qu'une souris jetée dans un nid de faucons, évitait de passer devant les fenêtres. Au milieu des rangées de plantes aromatiques, les six prisonnières restaient enchaînées, afin qu'on les croie asservies… Autant remplacer les bœufs par des daims et espérer que les bêtes sauvages tracent des sillons droits ! Ces êtres étranges, les elfes, refusaient obstinément de se plier aux exigences des humains. Même les enfants en bas âge encaissaient des coups plutôt que d'obéir. Affaiblis par le manque de nourriture et de sommeil, plus le fouet, les prisonniers faisaient preuve d'une résistance forçant l'admiration.

— Les voilà ! cria soudain Bunlap en bondissant sur ses pieds. Tous en place !

Echangeant des regards inquiets, ses hommes obéirent. Accroupis derrière les fenêtres, à l'étage, et derrière les murets, en bas, ils empoignèrent leurs armes, yeux rivés sur les arbres.

Cette fois, Vhenlar encocha une de ses flèches à l'empennage constitué des plumes bleu et blanc d'un oiseau typique de son Cormyr natal. Il était soulagé, au fond, de ne plus devoir manier les projectiles noirs pris sur les cadavres de ses camarades ou d'ennemis… Ces flèches-là avaient quelque chose de… bizarre… Comme si elles pouvaient à tout moment se retourner contre lui…

— J'ai entendu le cri d'un oiseau qui ne s'aventure jamais hors des bois, annonça Bunlap. On dirait que notre ami a moins de bon sens que le volatile qu'il imite !

Vhenlar avait beau scruter les arbres, il ne voyait rien d'insolite. Il désigna les prisonnières enchaînées.

— Si vous l'avez remarqué, elles aussi…

C'était là le hic, à son avis. Elles savaient forcément qu'elles servaient d'appât. Comment réagiraient-elles ?

Trois flèches sifflèrent dans les airs… et retombèrent sur les gardes qui s'étaient crus à l'abri derrière les murets…

Un sacré joli tir, à pareille distance !

En archer chevronné, Vhenlar apprécia.

Une prisonnière s'empara d'une hache, à la ceinture d'un moribond, et se libéra de ses chaînes. Elle courut à perdre haleine vers les arbres… et la liberté…

Vhenlar la visa. Bunlap lui saisit le poignet.

— Imbécile ! Tu trahiras notre position !

— Et elle, non ?

Bunlap le lâcha.

Vhenlar visa de nouveau et tira.

Mais une flèche ennemie heurta la sienne au vol à l'instant où la fuyarde atteignait le couvert des arbres.

— Par le sang noir de Fléau ! jura l'archer, stupéfait par un tel exploit.

Bunlap s'écarta de la fenêtre et cria ses ordres, les mains en porte-voix.

En contrebas, d'autres gardes libérèrent les prisonnières et les poussèrent dehors, se faisant un bouclier de leurs corps.

— Pfff ! lâcha Vhenlar. Pour des as comme nos ennemis, abattre ces idiots sera un jeu d'enfants ! Surtout avec des « boucliers » aussi menus ! Ces elfes pourraient énucléer des colibris, si la fantaisie les en prenait…

— Nous perdrons quelques lascars… Et après ? fit Bunlap. Il en restera toujours assez pour emmener nos otages à l'abri. Nous donnerons à réfléchir à ces sauvages. Et nous dépècerons leurs femmes et leurs filles une à une jusqu'à ce qu'ils sortent de leur trou.

L'archer haussa les épaules.

— Tu en doutes ? Ce rouquin sortira à découvert, crois-moi. Il veut ma peau ! Nos regards se sont croisés… Et on ne me la fait pas ! Il se complaît peut-être à jouer les chefs superbes et généreux, mais au fond, nous sommes du même bois. Pour lui comme pour moi, c'est devenu une affaire personnelle.

La fuyarde tomba *in extremis* dans les bras tendus de Tamara Chênebâton, l'unique guerrière du groupe.

Tamara l'examina, scandalisée par les marques de fouet, les cicatrices laissées par les chaînes à ses poignets et à ses chevilles et l'anémie due au manque flagrant de nourriture, d'eau et de repos. Sans parler de blessures moins visibles…

Mais il suffisait de croiser le regard farouche de la survivante… Elle se battrait jusqu'au bout !

— Donnez de l'eau à notre brave petit faucon ! dit Tamara. Puis un arc et des flèches !

— Nos ennemis restent hors de portée, rappela Renard-de-Feu en étudiant la grange.

Un guet-apens, bien sûr… Les humains s'étaient embusqués aux fenêtres. Mais Renard-de-Feu n'avait pas prévu que Bunlap se servirait des prisonniers comme d'un appât. Il aurait dû s'en douter.

— Combien d'humains y a-t-il ? demanda-t-il à la rescapée.

— Une centaine a attaqué notre communauté. La moitié a péri. Nous en avons tué encore quelques-uns avant d'être traînés ici. Mais ils restaient trop nombreux !

— Comme toujours, avec cette vermine, grogna Tamsin, le jumeau de Tamara.

— Et dans la grange ?

— Dix, peut-être plus… Il y avait douze gardes dans les champs et vingt postés dans la forêt.

— Ceux-là ne nuiront plus à personne ! lança Tamsin avec une joie féroce.

— Donc, une vingtaine d'hommes… Nous les luttons à trois contre un ! jubila Tamara.

— En pleine forêt, ça serait facile, dit le chef. Mais en choisissant leur terrain, nos ennemis ont retourné la situation à leur avantage !

— Nous vaincrons, de toute façon ! cria un de ses guerriers.

Les autres levèrent un bras en signe d'assentiment.

Les ombres s'allongèrent. Au crépuscule, un cri aigu retentit…

— Ces chiens nous provoquent ! souffla Renard-de-Feu tandis que ses compagnons empoignaient leurs armes. Ils espèrent nous attirer à découvert pour nous tirer comme des lapins !

— Que faire ? lança Korrigash.

La mine grave, Renard-de-Feu prit son briquet à amadou et son silex, les percutant pour obtenir une étincelle.

— Incendier la grange… Le ruisseau qui coule entre la forêt et le bâtiment empêchera le feu de s'étendre. Et il forcera nos ennemis à se battre à découvert.

— Ils achèveront les otages ! s'écria Tamsin.

— Au contraire, répondit Renard. Ils les garderont en vie, dans la souffrance, jusqu'à ce qu'ils nous aient attirés à eux… Beaucoup de choses, chez les humains, m'échappent. Mais une est sûre : leur chef n'aura de cesse tant qu'il n'aura pas lavé dans mon sang son orgueil blessé.

Un autre cri déchira la nuit.

L'elfe enflamma la flèche qu'il encocha puis tira.

D'autres flèches s'abattirent sur les mercenaires qui tentèrent d'enrayer le début d'incendie.

Braillant de peur et de colère, les humains durent sortir de la grange.

— Tenez-vous prêts ! lança Renard-de-Feu. Gardez une arme de revanche sur vous et courons libérer les prisonniers ! Petite sœur, tu nous attendras ici.

Pour toute réponse, l'elfe lui prit son couteau.

— En mémoire de ma mère !

— Tu es blessée…

— Je saurai encore me battre ! Et je vous suivrai jusque dans la mort !

Elle se lança la première à travers champs, suivie par ses frères dispersés en éventail. Ils couraient à la vitesse d'une meute de loups.

La bataille s'engagea. Les flammes rugirent, les cris de colère et de douleur se succédèrent…

C'était la guerre.

La porte de *La Baleine Emergeant* s'ouvrit à la volée. Comme poussée par le vent, une elfe entra. Elancée, la peau blanche, des yeux bleus perçants, les cheveux noir de jais… Une couleur surprenante chez les elfes de lune…

Dans la salle soudain silencieuse, elle avança.

Le petit homme Sandusk Cherchetruffes, patron de l'établissement, la regarda arriver, l'air méfiant.

L'elfe posa les mains sur le comptoir.

— Où est Carreigh Macumail ?

Sa voix, un alto mélodieux, n'avait pas la platitude de celle des humains, ni la magie de celle des elfes de pure souche…

Une hybride, donc.

Aux yeux de Sandusk, les elfes et les humains étaient des trublions. Mais les sang-mêlé restaient moins mauvais, dans l'ensemble, que les hommes ou les elfes à part entière. Si les demi-elfes étaient plutôt bien traités à Zazesspur, ils marchaient sur le fil du rasoir… et le savaient. Les conflits raciaux s'aggravant au Téthyr, les hybrides étaient vivement encouragés à se tenir à carreau et à s'occuper de leurs affaires.

Cette donzelle-là n'avait pas saisi le message… Le tenancier ne réagissant pas assez vite à son goût, elle le saisit par son col de chemise et l'attira à elle.

— Je connais et j'apprécie la réputation de votre établissement, un havre de paix pour sa clientèle. Je vous assure que je ne veux aucun mal au capitaine Macumail. Vous, en revanche… Vous avez intérêt à parler, et tout de suite !

— Il est parti !

Arilyn le secoua.

— Je *sais* ! Comme je sais qu'il vous tient au courant de ses déplacements. J'écoute !

— Mais je suis un petit homme, je fais la moitié de votre taille !

— Alors j'utiliserai une épée courte !

Sandusk soupira.

— Il n'est pas loin… L'*Arpenteur des Brumes* a levé l'ancre ce matin. Vous pouvez encore le rattraper.

Arilyn lâcha sa victime, quitta l'auberge, gagna la jetée… et plongea dans l'eau.

Elle s'orienta vers l'ouest, pleine de gratitude envers Perle Noire, une demi-elfe des mers et une amie de longue date. Grâce à son amulette, Arilyn respirait tout naturellement sous l'eau.

Elle restait sur ses gardes, consciente de courir de sérieux dangers dans les eaux portuaires de Zazesspur. Les sahuagins y abondaient. Là où ils vivaient, on trouvait aussi des elfes des mers. La Ménestrelle, en bien meilleurs termes avec eux qu'avec leurs homologues terrestres, en savait probablement plus sur leurs affaires que les elfes du Téthyr.

La forêt s'étendait à l'est des contreforts des Monts-Flocons jusqu'à la péninsule d'EtoileSpire. Mais peu d'elfes résidaient du côté marécageux, à l'ouest. Depuis longtemps, ils avaient abandonné ces bandes de terre aux humains et à leurs activités clandestines : les contrebandiers, les pirates… Des sahuagins avaient même implanté leurs bases du côté d'EtoileSpire. Donc, les elfes des mers n'étaient pas loin…

Dans une crique, près de la pointe de la péninsule, une petite base navale était protégée des curieux par la magie. On y trouvait des marins de lune, issus de la marine royale.

Deux ou trois ans plus tôt, Macumail avait mis Arilyn dans le secret. Fier de son titre d'ami des elfes, il était devenu intarissable sur le chapitre d'Eternelle Rencontre et de son incomparable souveraine…

Grâce à son infravision, Arilyn repéra parmi des algues flottantes un elfe des mers embusqué. Un garde…

Bras levés en signe de bonne volonté, Arilyn se tourna lentement vers l'autre garde, dont elle avait senti la présence dans son dos. Recourant au langage gestuel que lui avait enseigné Perle Noire, elle annonça qu'elle voulait parler à Macumail.

A contrecœur, elle précisa qu'elle était en mission au nom d'Amlaruil.

A la mention de la reine, les yeux du garde se remplirent d'adoration. Quiconque parlait de la reine d'Eternelle Rencontre en avait les prunelles luisantes de révérence ! Même Elaith Craulnober, un elfe de lune renégat qui avait passé de nombreuses années loin de l'île, se forgeant une belle réputation de guerrier implacable, avait le regard lointain et rêveur dès qu'on mentionnait Amlaruil…

La Ménestrelle serra les dents.

— *Macumail l'ami-des-elfes a parlé de vous, Arilyn Fleur de Lune. Le peuple des bois guettait votre venue… plutôt par bateau, je dois dire…*

Fleur de Lune était le nom de la dynastie royale d'Eternelle Rencontre… et le patronyme de sa mère. Arilyn grinça des dents.

— *Lamelune !* rectifia-t-elle aussitôt.

Peine perdue. Tout excité, son interlocuteur s'était tourné vers sa coéquipière.

Ils lui indiquèrent de les suivre.

Soupirant, la Ménestrelle obéit.

Quand le vaisseau fut en vue, son escorte abandonna Arilyn, la laissant approcher seule. A sa grande surprise, elle vit que l'*Arpenteur des Brumes* avait jeté l'ancre. Plutôt risqué, même près du rivage, car les pirates avaient toutes les audaces. Elle grimpa le long du cordage puis se hissa à bord.

Peu après, elle entra dans les quartiers du capitaine. Assez luxueux, ils contenaient un grand lit, un coffre, un pupitre et deux sièges.

Macumail offrit du vin à sa visiteuse nocturne.

— J'ai reconsidéré votre proposition…

— Je l'espérais…

Arilyn haussa les épaules. Les enjeux étaient trop élevés pour qu'elle s'embarrasse de diplomatie.

— Voudriez-vous porter à la reine ma réponse – et mes conditions ?

— Amlaruil m'a autorisé à vous promettre tout ce que vous voudrez.

— Ciel… ! Entendu. Pouvez-vous me ramener sur-le-champ à Zazesspur ?

— Ma chère, je suis à votre entière disposition. Vous savez, naturellement, que les docks sont interdits la nuit.

— L'aube m'ira tout à fait.

— Les quartiers qui jouxtent les miens vous offriront une bonne nuit de repos. Et des vêtements secs vous attendent. S'il vous manque quoi que ce soit, n'hésitez pas.

Arilyn sourit. Les yeux bleus de son interlocuteur pétillèrent… Décidément, Macumail avait un sacré faible pour les belles elfes ! Qu'il tînt à la disposition de ses visiteuses une garde-robe elfique n'avait rien de surprenant…

La Ménestrelle remercia son hôte et suivit le matelot qui s'était présenté dès que Macumail avait tiré sur un cordon.

Resté seul, le capitaine prit dans un tiroir un flacon d'une encre pourpre obtenue à partir des baies et des fleurs qui ne poussaient qu'à Eternelle Rencontre. Avec soin, il y trempa sa plume, puis ajouta quelques lettres au parchemin de la reine.

Par bonheur, « Lamelune » et « Fleur de Lune » n'étaient pas des noms si éloignés…

Par Laeral, le capitaine avait appris la triste histoire de la demi-elfe, une source de chagrin pour la reine.

Quoi qu'il en soit, Arilyn aurait toutes les difficultés du monde à mener sa mission à bien.

Grâce à son amante, une druidesse, Macumail en avait assez appris sur les elfes des bois pour se douter qu'ils rejetteraient une ambassadrice à demi humaine. S'ils ne la tuaient pas… Même pour quelqu'un d'aussi ingénieux qu'Arilyn, ce n'était pas gagné d'avance.

Le capitaine avait réfléchi à une stratégie…

Les us elfiques étaient compliqués à plaisir. Les surnoms correspondaient à un talent ou à un don – Chasseneige, Chênebâton ou Arcfrêne, par exemple. Mais ils étaient réservés aux étrangers… surtout les humains et les nains. Entre elfes, le patronyme et la lignée étaient des données vitales du tissu social. Qu'Arilyn s'identifie à sa seule arme, « Lamelune », serait un manquement à l'étiquette. De plus, les lames de lune étaient des armes héréditaires. Un aveu manifeste, donc, qu'elle n'était pas ce qu'elle prétendait être…

Dans la société elfique, autant vouloir faire accepter une belle-fille ogre !

Mais, d'un ingénieux trait de plume, le capitaine avait rendu à l'aventurière le patronyme et la lignée aristocratique qui lui revenaient de plein droit. Arilyn appartenait bel et bien à la dynastie royale d'Eternelle Rencontre. Cela ferait taire beaucoup de doutes et de questions. Après tout, les elfes de lune étaient connus pour leurs similitudes avec les humains !

Les hybrides n'ayant pas accès à Eternelle Rencontre, il ne viendrait à l'esprit d'aucun elfe du Téthyr d'imaginer qu'une demi-elfe puisse porter le nom de la famille royale. Une missive d'Amlaruil désignait Arilyn comme sa descendante. Voilà qui aplanirait pas mal de difficultés. Une idée qui ne serait pas venue à l'esprit de l'orgueilleuse sang-mêlé… Et si le capitaine avait fait l'erreur de lui en parler, il aurait pu tirer un trait dessus.

Ne lui en déplaise, Arilyn avait décidément de qui tenir !

— Mille pardons, gentes dames…, murmura Macumail en glissant le parchemin dans son étui. Et que les dieux me gardent loin de vous deux le jour où vous aurez vent de ma petite ruse !

Avant le lever du soleil, le capitaine Macumail débarqua Arilyn à Zazesspur. La journée passa en un éclair, tant l'ambassadrice avait d'affaires à régler.

Notamment, avertir son coéquipier… Mais elle redoutait d'affronter Danilo pour lui faire ses adieux.

Et le jeune fou imaginerait sans doute un moyen de la suivre contre sa volonté !

Le soir venu, Arilyn se décida. Vêtue de soie bleue, coiffée de manière à cacher la pointe de ses oreilles et maquillée d'un fond de teint tirant sur le rose, elle avait en outre mis ses plus beaux bijoux, histoire d'être acceptée dans les cercles les plus fermés.

Passionné par les gemmes, Danilo en aurait volontiers couvert sa partenaire. Après trois ans, Arilyn s'était ainsi constitué une belle collection. Se faisant fort de connaître sur le bout des doigts les festivals et les fêtes elfiques, Danilo avait quasiment interdit à la jeune femme de refuser ses somptueux cadeaux. Il était particulièrement doué pour désamorcer les objections du beau sexe – un de ses nombreux traits de caractère exaspérants.

Arilyn opposant beaucoup de résistance au charme du jeune homme, elle pimentait le jeu et augmentait les enchères…

Avec un soupir, elle monta dans son attelage de location, se préparant à une longue soirée. Danilo aimait souper en ville. Et changer d'établissement au gré de sa fantaisie... Arilyn devrait sans doute écumer Zazesspur à sa recherche.

Premier arrêt : *Les Jardins Suspendus*, une auberge de luxe très prisée du pacha. Au gré de la Ménestrelle, on s'y sentait trop comme à Calimport. Mais Danilo y descendait souvent pour savourer les bons vins et la musique. Des artistes de renom s'y produisaient chaque soir.

Quand Arilyn entra, la ballade qu'on jouait lui parut familière. Une mélodie entraînante, quoique plutôt commune... Un bruit de fond idéal pour les conversations.

Pourtant, quand la chanteuse, une soprano, commença la troisième strophe, un grand silence descendit sur la salle...

Sans être une barde, Arilyn comprit la portée du chant. L'histoire ne lui était que trop connue... Un noble barde qui avait à lui seul mis hors d'état de nuire un elfe d'or coupable de la mort d'une vingtaine de Ménestrels...

Ces derniers n'étaient pas les bienvenus à Zazesspur. Et si un artiste se risquait à chanter ce genre de ballade dans les tavernes, c'était forcément en prélude à une révélation : démasquer un Ménestrel...

Arilyn quitta l'auberge d'un pas nonchalant. Dehors, elle paya son cocher, libéra sa jument du harnais et l'enfourcha.

Elle devait vite retourner dans le hall de la guilde des assassins. Parmi les nouveaux avis de mission, Danilo était sûrement un des hommes à abattre...

CHAPITRE VII

Une pièce d'or dans la main, Arilyn quitta le hall de la guilde la peur au ventre et gagna sa chambre. Un désastre ! La ballade s'était répandue en ville comme de la vermine. La tête du Ménestrel était mise à prix. Les tucurs à gages sauraient vite de qui il s'agissait.

Arilyn se changea et empaqueta ses affaires. Elle ne reviendrait sans doute jamais. Puis elle partit en direction des beaux quartiers de Zazesspur, où se trouvait le *Minotaure Pourpre*, l'auberge la plus en vue de la cité. Elle laissa sa jument dans une écurie avant de grimper dans le grenier à foin. De ce point de vue privilégié, elle étudia les toits et les voies d'accès environnantes. Entre le *Minotaure Pourpre* et elle se dressaient une salle des fêtes, deux autres tavernes, des foyers de boutiquiers et les humbles baraquements réservés aux domestiques et aux esclaves attachés à la clientèle.

Arilyn s'élança de toit en toit.

Près du *Minotaure Pourpre*, elle remarqua qu'une fenêtre, au troisième étage, était ouverte. Danilo appréciait l'air nocturne... Les accords d'un luth s'échappaient dans la nuit, accompagnés par une voix familière.

La Ménestrelle soupira de soulagement. Pour l'heure, Danilo était en vie...

Ayant pris soin de se barbouiller le visage et de s'habiller en noir, à l'exception de sa ceinture gris pâle, la jeune femme était presque invisible, malgré le clair de lune. Sa corde nouée à une cheminée, elle entreprit la descente en rappel jusqu'à la fenêtre ouverte qu'elle franchit d'un bond, poignard au poing.

Assurée qu'il n'y avait aucun danger, elle se tourna vers Danilo.

Ses yeux gris pétillants, un gobelet d'elverquisst dans chaque main, le jeune noble attendait visiblement sa visite…

Arilyn fréquentait Danilo Thann depuis trois ans. Elle avait encore du mal à faire le lien entre le personnage public et l'homme qu'elle avait appris à connaître. Peu de gens voyaient en lui autre chose que le fils cadet d'un noble aquafondien. Un dandy doublé d'un dilettante se piquant de magie et de musique… Il fallait une oreille exercée pour entendre, sous les ballades grivoises, l'authentique musicien et un œil perçant pour repérer l'expérience dissimulée derrière des « sorts hasardeux »… Mais qui se souciait de voir au-delà des apparences ? En sa qualité de séducteur à bourse pansue, Danilo était accueilli dans des sphères où une tueuse à gages hybride n'aurait jamais accès.

Dernièrement, il se plaisait à s'habiller de pied en cap dans toutes les gammes de pourpre, la couleur traditionnelle du Téthyr. Plus d'une fois, Arilyn lui avait dit que cette nouvelle affectation lui donnait des allures de grappe de raisin ambulante… Mais en réalité, l'opulente couleur lui seyait à merveille.

Chez le jeune homme et dans son environnement, tout respirait la prospérité, l'aisance et le privilège. Sa chambre luxueuse était un brin encombrée par ses objets personnels. Une longue table offrait un assortiment enviable de crus recherchés – il jouait maintenant au membre de la guilde du vin. Des grimoires, un globe de clairevision… plus d'autres artefacts destinés à protéger les lieux. Le luth reposant sur des coussins brodés, dans un coin, une merveille aux incrustations de nacre, côtoyait le ceinturon de Danilo, avec une antique épée dans son fourreau serti de pierres précieuses. Une arme sans doute magique.

Arilyn prit le gobelet que son hôte lui tendait.

— Nous quittons le Téthyr.

— Oh ?

— Ta tête est mise à prix, Danilo. Cent pièces d'or à qui la décollera de tes épaules…

Il soupesa la pièce qu'elle lui donna et siffla entre ses dents. Elle pesait trois fois plus que la monnaie habituelle. Une petite fortune reviendrait au tueur le plus doué !

— Je suis flatté…

— Ecoute-moi ! cria la jeune femme, le saisissant par les bras. J'ai entendu quelqu'un reprendre ta ballade à propos du Ménestrel assassin !

— Bonté divine…

Danilo l'avait écrite après leur première mission. Il ne l'avait plus jouée depuis deux ans. Et il n'aurait jamais commis l'erreur grossière de la fredonner au Téthyr ! Dans un royaume aussi troublé, ce chant pouvait mettre le feu aux poudres… Pourquoi avait-il composé ces couplets ? A l'origine, pour convaincre Arilyn qu'il était un courtisan infatué de lui-même…

Ça avait marché.

— Entendu…, soupira Danilo. Nous partons sur-le-champ.

— Non.

Elle toucha un des anneaux du jeune homme, cadeau de son oncle Khelben Arunsun. L'artefact pouvait téléporter trois personnes en sécurité – dans la tour du célèbre archimage, ou ailleurs.

Arilyn détestait les voyages magiques. Elle s'y résignait en dernière extrémité. Danilo remit en hâte son ceinturon, y accrochant le sac ensorcelé qui contenait ses affaires personnelles. Il y ajouta trois grimoires, prit son luth et saisit son amie par le bras.

Elle se dégagea en secouant la tête.

— Je ne viens pas avec toi.

— Arilyn, ce n'est pas le moment de faire des caprices !

— Désolée… J'ai eu un message… Une nouvelle mission m'attend. Je pars à l'aube.

Danilo écarquilla les yeux, trahissant la profondeur de ses sentiments pour la jeune femme. Mais il se reprit vite et feignit de faire un caprice digne de son personnage d'enfant gâté par les dieux…

Arilyn ne fut pas dupe.

Le globe de clairevision scintilla. Elle l'empoigna et découvrit, dans le cristal, trois silhouettes perchées sur le toit de l'auberge…

— Vite ! souffla-t-elle. Pars !

— Et te laisser seule affronter tes charmants collègues ? Pas question !

— Justement… Je suis de leur confrérie…

— Ils te tueront sans hésiter ! Pourquoi laisseraient-ils passer une si belle occasion de gagner du galon ?

La corde pendue à la cheminée, sur le toit, oscilla… Quelqu'un en faisait déjà bon usage.

— Pars, Danilo !

— Pas sans toi.

Derrière ses allures de dandy, le jeune homme avait un caractère bien trempé… Sur ce point, Arilyn et lui se complétaient admirablement.

Le Ménestrel lâcha son luth chéri pour prendre sa partenaire dans ses bras.

— Si tu imagines que je t'abandonnerai à ces chiens, tu es encore plus bête que moi ! Tant pis si le moment est mal choisi, mais je t'aime !

— Je sais…

Elle se blottit contre sa poitrine un instant, levant vers lui un regard brillant. Pour la première fois, elle lui caressa une joue. Enchanté, Danilo lui prit la main pour y poser un fervent baiser.

Baissant ainsi sa garde.

De l'autre main, Arilyn le frappa sous les côtes. Plié en deux, il s'effondra.

Aussitôt, elle activa l'anneau de téléportation. Désespéré, il chercha à la rattraper par un poignet. Trop tard… Elle s'était déjà écartée. Sa lame de lune dégainée émettait la lueur précédant le combat.

Arilyn n'avait pas eu le choix… Mais sa ruse lui avait coûté plus qu'elle n'aurait cru.

S'armant de courage, elle se tourna vers le trio de tueurs qui entrait par la fenêtre.

Epée au poing, elle se sentait dans son élément.

CHAPITRE VIII

Fulminant en silence, Furet prit pied la dernière dans la chambre. Elle aurait volontiers retourné son épée contre ses partenaires du moment pour protéger l'homme qu'elle était censée abattre. Intrigué, le Ménestrel aurait peut-être été d'humeur à l'écouter… et à lui venir en aide…

Chercher secours auprès des humains et des Ménestrels ! pensa la jeune femme, dégoûtée. Mais où allait le monde ?

Avait-on encore le choix ? Malgré ses talents, Furet n'était pas de taille à affronter les innombrables complots qu'on ourdissait à Zazesspur. Une ballade entendue par hasard lui avait donné une idée. Les Ménestrels n'étaient-ils pas une légendaire confrérie d'espions, d'informateurs et d'intrigants ? Par malheur, on venait de lancer aux trousses de celui-là tous les assassins que comptait cette maudite cité ! Mais si Danilo Thann méritait son titre de Ménestrel, il remonterait forcément à la source de ses tracas.

Furet n'en demandait pas plus.

Elle savait ce qu'elle avait à faire. Hélas, elle ignorait *à qui* le faire !

En entrant dans la chambre, ce qu'elle découvrit lui coupa le souffle. Elle n'en crut pas ses yeux…

Une lame de lune !

110

Dans les mains d'une tueuse à gages hybride !

Telle l'héroïne de quelque antique légende, Arilyn engagea le combat avec les deux premiers intrus, parant chaque estoc avec une déconcertante aisance… Furet avait cru que l'arme fabuleuse dont sa rivale osait réclamer la propriété et le nom était en sommeil depuis des siècles… Arilyn avait dû l'acquérir auprès d'un colporteur, ou profaner une sépulture… A en croire la légende, seuls les elfes de lune à la noblesse de cœur avérée pouvaient manier ces armes ensorcelées !

Voir une telle lame aux poings d'une mercenaire avait de quoi déconcerter.

Quand le regard d'Arilyn se posa sur Furet, elle se mit en garde… Trompant ses adversaires, la guerrière porta un estoc à sa rivale, qui eut à peine le temps de parer. A un contre trois, il était sage de vouloir éliminer au plus vite son adversaire le plus dangereux… Furet se rappela qu'une lame de lune ne pouvait pas verser le sang des innocents.

Mais était-elle vraiment innocente… ? Elle avait suivi la voie de la nécessité… et tué.

Les assassins revinrent à la charge. Les trois épées se heurtèrent. La jeune femme se dégagea d'un bond, sans quitter des yeux…

… Furet, qui devina que sa dernière heure avait sonné.

Ou son prochain coup serait génial… Ou ce serait le dernier.

Se mordant l'intérieur des joues, elle gémit et s'effondra, un bras sur son abdomen.

Convaincue de l'avoir mise hors d'état de nuire, Arilyn se détourna.

Immobile, Furet observa la suite des événements sous ses cils baissés. Il fallait admettre que sa rivale excellait au combat ! Pourtant, Arilyn semblait s'en remettre plus à l'instinct qu'à la technique. Elle paraissait prévoir tous les coups, gardant une longueur d'avance sur ses adversaires.

Et sa rapidité, comme la force de ses coups, semblait excessive par rapport à son corps. Certes, sa minceur cachait l'extraordinaire souplesse des elfes. Mais ça ne suffisait pas à expliquer la violence qu'elle mettait à se battre.

Bizarre !

Arilyn élimina son premier adversaire d'un coup à la gorge… Elle brisa en deux le cimeterre du second avant de l'abattre aussi.

La lueur de l'épée s'estompa. Sans un regard en arrière, Arilyn la rengaina, et disparut par la fenêtre.

Dans son coin, Furet n'en revenait pas.

La demi-elfe possédait une lame de lune.

Cette tueuse à gages la maniait sans difficulté…

La magie de l'épée avait-elle été pervertie ?

Ou, à l'instar de Furet, Arilyn n'était-elle pas ce qu'elle semblait être ?

Et Danilo Thann ? Quelques instants plus tôt, perchée sur le toit, Furet l'avait entendu chantonner…

Maintenant, il s'était volatilisé. Elle avait besoin de lui !

Furet se releva, passa par la fenêtre et suivit Arilyn dans la nuit.

Des coups frappés à la porte secrète, près de la cheminée, tirèrent le prince de ses rêves.

Hasheth alla ouvrir.

La demi-elfe entra. A la voir, échevelée, la mine sombre, elle ne venait pas lui offrir une nuit de folie…

— Il est temps pour moi de quitter la ville.

— Demain matin…

— Non. *Maintenant !*

Levant les bras au ciel, le prince céda. Résister à cette furie ? Autant vouloir débattre philosophie avec son chameau ! Et il avait accepté de l'aider, veillant aux préparatifs. Tenir parole était essentiel. Hasheth le savait : la valeur d'un homme ne se mesurait pas forcément au tranchant acéré de sa lame ou de son esprit. Ni à sa fortune ou à son rang. Sa véritable valeur ? La capacité d'honorer ses promesses.

Pour l'instant, Hasheth entendait être connu comme un prince de parole. D'ailleurs, Hhune ne l'avait-il pas chargé de s'attirer la confiance des Ménestrels ?

Il tira sur une cordelette. Se frottant les yeux, un jeune serviteur apparut aussitôt. Son maître lui tendit un parchemin cacheté. Nul besoin d'explications... Transmis à qui de droit, le pli mettrait en branle un enchaînement d'événements bien huilés.

Elève assidu des Ménestrels, Hasheth avait beaucoup appris.

— Le bateau ? demanda Arilyn.

— Tout est prêt. Je m'éclipserai du palais et chevaucherai jusqu'aux portes sud. A l'aube, nous nous joindrons à une caravane en route pour le fleuve Sulduskoon. Je représenterai les intérêts de Hhune et vous jouerez les courtisanes attentives à mes moindres désirs. Une fois le fleuve atteint, vous vous volatiliserez. Ensuite, je conduirai votre jument jusqu'au repaire secret de l'alchimiste pendant que vous gagnerez une destination que vous n'avez pas cru bon de me révéler.

Arilyn se contenta de hocher la tête.

— Rendez-vous à l'aube !

Elle se détourna et sortit par le passage secret. Que dirait le pacha s'il apprenait qu'une tueuse à gages allait et venait à sa guise dans son palais ?

Rien d'agréable à entendre..., songea Hasheth,

amusé. Il se hâta de se préparer pour l'aventure qui l'attendait. Son père avait vu d'un très mauvais œil son entrée au service du seigneur Hhune. Mais si cela pouvait assagir un jeune prince connu pour ses frasques…

Comment le pacha pouvait-il s'aveugler sur la valeur d'hommes tels que Hhune ? Voilà ce que Hasheth avait du mal à s'expliquer. Balik aurait au moins dû savoir que des individus aussi ambitieux présentaient une réelle menace.

Son règne s'achèverait bientôt. Arilyn avait raison.

Dès sa première rencontre avec la jeune femme, Hasheth avait compris une chose essentielle : connaître ses ennemis était vital.

Si Balik l'ignorait, il méritait cent fois de tomber.

Et son fils cadet ne laisserait pas passer une si belle occasion. D'ailleurs, pourquoi attendre béatement l'inéluctable ? Un petit coup de pouce au destin…

Souriant, le jeune homme quitta ses appartements.

Tapie dans les jardins luxuriants du palais, Furet vit la demi-elfe se faufiler le long d'un mur… Le contact d'Arilyn n'était pas un garde mais un des fils du pacha ! Le voyant peu après quitter l'enceinte du palais, Furet le suivit. Quand il entra dans une écurie pour en ressortir sur un étalon, elle grimaça. Chevaucher ne lui disait rien qui vaille…

Dans l'écurie, elle eût tôt fait de s'emparer d'une jument, lui enveloppant les sabots de bandes de tissu. Agrippée à sa crinière, elle lui chuchota à l'oreille quelques paroles dans la langue des centaures.

La jument dut en comprendre l'essentiel car elle partit sur les traces de l'étalon d'Hasheth…

114

L'aube se lèverait bientôt. Les guerriers survivants se hâtèrent. Emmenant leurs frères d'armes morts ou mourants, les elfes battaient en retraite au cœur des bois, talonnés par des aboiements furieux.

Renard-de-Feu portait Aile-de-Faucon, la première rescapée, baptisée ainsi par Tamara. La petite s'était battue comme un aigle, en effet, avant d'être lâchement frappée dans le dos.

Mais elle survivrait. Le chef y veillerait. Sa tribu avait grand besoin de courage et de combativité. Tamara avait fait d'Aile-de-Faucon un nouveau membre du clan Chênebâton. Un jour, elle guiderait sa tribu sur les sentiers de la gloire.

Parmi les elfes de Hautes Futaies, vingt-quatre pouvaient encore courir et lutter. Mais deux rescapés seulement marchaient sans aide…

— Tamara, dit Renard-de-Feu, cours prévenir Hautes Futaies. Et que des renforts nous rejoignent dans la vallée des pins, au sud.

La guerrière acquiesça, comprenant la nécessité de cette mesure. Dans cette vallée toujours fraîche et ténébreuse, la forêt était couverte d'un épais manteau de brume. Des cèdres multicentenaires, dont seules les racines vivaient encore, avaient été évidés pour fournir des cachettes. Des plantes médicinales y poussaient en abondance. Si les humains les traquaient jusque-là, le terrain ne serait pas à leur avantage.

— Eldrin, Sontar, Wyndelleu, ajouta Renard-de-Feu, retournez sur nos pas pour abattre les chiens. Ainsi, leurs maîtres seront bredouilles. Chassez-les vers le nord avec des flèches vertes. Tamsin, tu iras aussi au nord, par-delà les bois de frênes. Réveille le jeune dragon blanc qui y sommeille et attire-le dehors… Il ne devrait faire qu'une bouchée des humains. Ensuite, rejoins-nous.

L'adolescent étouffa un cri de triomphe.

Les guerriers désignés s'enfoncèrent dans les bois.

— Un bon plan, approuva Korrigash. Mais suffira-t-il ?

— Pour l'heure ? répondit Renard-de-Feu. Peut-être. Pas pour longtemps…

CHAPITRE IX

Chaque matin, à l'aube, les portes de Zazesspur se rouvraient aux voyageurs. Ses marchés étaient davantage qu'une étape pour les caravaniers. Le Téthyr s'enorgueillissait de son commerce. Et les contrées du Nord comme du Sud achetaient toujours ses denrées à bon prix…

Le chef d'une caravane en partance, Quentin Llorish, ne fut guère ravi d'apprendre que le nouvel apprenti du seigneur Hhune se joindrait à l'expédition. Si le seigneur de la guilde payait bien et traitait équitablement ses subalternes – un comportement peu banal au Téthyr –, Quentin n'était ni loyal ni honnête… Et avoir un apprenti sur le dos ne l'enchantait pas, lui qui détournait souvent les bénéfices de son maître… Si cette fouine fourrait son nez dans les livres de comptes…

Quentin en avait déjà des brûlures d'estomac.

— Chef ? Je suis Hasheth, délégué par le seigneur Hhune.

L'homme qui attendait que s'ouvrent les portes de la ville se retourna, la peur au ventre. Vingt ans, les cheveux noirs, un nez crochu, une peau hâlée… Un bâtard de Hhune, par hasard ?

— Bienvenue, petit ! lança Quentin avec un entrain

forcé. Nous partons à l'aube. Prends le cheval qu'il te plaira, ensuite, nous parlerons affaires.

Hasheth eut une moue dédaigneuse.

— Ce ne sera pas nécessaire.

Il désigna un attelage couvert tiré par deux magnifiques chevaux à la crinière blanche. Derrière venaient une jument grise et un splendide étalon noir.

— Comme vous voyez, j'ai ce qu'il faut. Quant aux affaires, tout ce qui conviendra à notre seigneur m'ira. Puisque je suis là en formation, convenons tout de suite d'une chose. Si on vous le demande, j'aurai attentivement observé toutes vos démarches. Si on me questionne, je répondrai qu'à ma connaissance, tout était en règle.

Donc, ce jeune m'as-tu-vu se doutait des agissements louches du caravanier. Celui-ci ne sachant quelle contenance adopter, son interlocuteur fronça les sourcils.

Le défi était lancé.

— Entendu, marmonna Quentin, ses aigreurs d'estomac lui faisant passer un sale quart d'heure.

Une femme voilée écarta un peu les tentures de l'attelage.

— Vous voyez également que j'ai amené avec moi de quoi passer le temps. A propos, la dame a une peau délicate… et le désir de voir le marché avant les grandes chaleurs. Ferez-vous diligence afin de satisfaire *nos* attentes ?

La gorge brûlante, Quentin acquiesça. Avant de retourner vaquer à ses affaires, il regarda l'arriviste embarquer dans son attelage.

Quelle plaie, ces apprentis !

Quand le soleil matinal couronna les pics des monts EtoileSpire, les portes s'ouvrirent enfin. Lorsque la caravane s'ébranla, Quentin se sentit mieux. Après tout, il y aurait sûrement moyen de s'entendre avec ce jeune loup aux dents longues. Et peut-être, de s'associer à lui pour leur bénéfice mutuel !

— N'ai-je pas bien choisi mon aigrefin ? jubila Hasheth.

Amusée, Arilyn hocha la tête. Quentin Llorish était en effet un choix judicieux, côté corruption. Son départ de Zazesspur se déroulait mieux qu'elle n'aurait cru. Le plan marchait comme sur des roulettes. Hasheth était décidément doué !

Alors pourquoi se sentait-elle mal à l'aise ?

La Ménestrelle s'arma de patience, prête à affronter des heures d'inaction, seule avec ses inquiétudes. Les événements s'étaient précipités… Arilyn aimait prendre les problèmes un par un : avec rapidité, efficacité et diplomatie, quand c'était possible.

Mais la mission confiée par Eternelle Rencontre l'obligeait à changer de méthode. Déboussolée, elle partait au cœur de la forêt elfique, accablée par les problèmes des autres… Son ancêtre dormait dans un antique caveau sans qu'elle puisse laver ce déshonneur. Danilo lui avait déclaré sa flamme et elle l'avait renvoyé dans ses pénates sans s'interroger sur ses propres sentiments… Et que penser de l'ombre de l'elfe et du sinistre avenir qui lui était prédit ?

Chargée d'une mission suicide, elle portait une épée ensorcelée qui lui vaudrait, en dernière analyse, une servitude éternelle…

Bref, elle n'était pas d'humeur à accueillir avec diplomatie les avances du jeune prince. Dès le premier compliment ambigu, elle aurait toutes les peines du monde à ne pas l'envoyer rouler dans la poussière… Mais contre toute attente, la matinée se passa sans incident. Mieux encore, Hasheth bombarda sa com-

pagne de questions sur les Ménestrels et leurs ennemis, ne lui laissant plus le loisir de se tourmenter. Il
brûlait de tout savoir de l'histoire politique du Téthyr
et des contrées environnantes. A croire que les précep-
teurs des princes cadets n'abordaient jamais ce genre
de questions !

De plus, il écoutait attentivement les réponses
concises de la jeune femme. Un talent essentiel chez
un informateur... A l'évidence, il adorait les activités
clandestines. L'intrigue et le secret lui plaisaient énormément. Mais Arilyn avait conscience que le lien
d'Hasheth avec les Ménestrels était sans rapport avec
des convictions personnelles ou un quelconque respect de leurs idéaux.

— Que ferez-vous de toutes ces connaissances,
Hasheth ?

— Le savoir est un outil.

Une bonne réponse... guère rassurante.

A l'arrivée à Marakir, Arilyn fut heureuse de se
dégourdir les jambes... Déguisée, elle se mêla sans
peine aux matriarches et aux châtelaines venues faire
leurs emplettes avant de trouver ce qu'elle cherchait :
l'échoppe de Thérésa, dressée non loin du fleuve. La
Ménestrelle y découvrit des vêtements en laine, pro-
posés à des prix assez élevés pour garantir leur qualité.

Dans une cabine, Arilyn se changea, laissant une
bourse en garantie, et s'éclipsa par-derrière, en direction du fleuve. Une barque l'attendait.

Brave Thérésa !

La Ménestrelle embarqua. Le Sulduskoon, premier
fleuve du Téthyr, traversait le royaume d'est en ouest.
Depuis sa source, dans les contreforts des Monts-
Flocons, il coulait sur près de deux cents lieues avant
d'aller se jeter dans la mer. Il n'était pas entièrement

navigable, certaines zones étant infestées de nixies et d'autres créatures nuisibles. Sans compter les endroits où les récifs coulaient par le fond près de trois bateaux sur dix. Mais là, le fleuve était profond et large, plutôt calme. A la tombée de la nuit, l'esquif d'Arilyn atteindrait un affluent où l'attendait une seconde embarcation. Elle s'orienterait au nord, par-delà les monts EtoileSpire. Au sud de la forêt vivait un vieil ami... Saurait-il convaincre son peuple des bonnes intentions de l'ambassadrice ?

Avec les légendaires Ombres d'Argent dans le coup, rien n'était moins sûr.

Eileenalana bat K'Theelee s'ébroua dans son sommeil... Elle rêvait d'une pluie de grêlons et des plaisirs du vol plané en plein été... Soudain, de détestables piqûres l'arrachèrent tout à fait au sommeil.

Le dragon blanc roula sur le ventre, dévoilant son maigre trésor. En un siècle à peine, c'était pourtant un bon début... Eileen passait encore trop de temps dans une bienheureuse léthargie, au fond de son antre. Elle n'osait pas souvent s'aventurer à découvert. Plus d'un ennemi aurait pu lui faire du mal, car elle n'avait pas atteint sa maturité. Et avec sa robe blanche, elle passait difficilement inaperçue. Un jour, avec ses congénères, elle prendrait son envol pour les terres glacées du Nord...

Parmi les dragons des Royaumes, les blancs étaient les plus petits et les moins futés... Mais même Eileen se doutait qu'une pluie de grêlons, au fond d'une grotte, n'avait rien de naturel !

Se tordant le cou, elle sonda un boyau suspect, où elle crut distinguer la silhouette d'un bipède.

L'ennuyante créature tira une autre flèche… qui lui piqua effrontément le museau !

Louchant comiquement, la femelle dragon fixa les deux archers qui avaient osé s'aventurer dans son antre ! Secouant la tête, elle ramena les deux images à une…

… Toujours une de trop.

Avec un rugissement outragé, le dragon se redressa et se lança à la poursuite de l'impudent en clopinant sur ses pattes ankylosées.

Grâce à son souffle givrant, le monstre pouvait éteindre n'importe quel feu ou pétrifier un minotaure fou furieux… Gare au bipède qui avait osé troubler son repos ! Guidé par son odorat, le dragon émergea à l'air libre, dans la forêt.

Et prit conscience qu'il avait l'estomac dans les talons.

La nuit tombait sur la forêt du Téthyr. Vhenlar n'en menait pas large. Au mépris de la prudence, les mercenaires avaient pourchassé les elfes au cœur des bois où foisonnait une magie élémentaire propre à mystifier des mages tels que le sorcier d'Halruaa dont Bunlap faisait si grand cas.

Des dangers plus tangibles les guettaient. Depuis l'aube, des archers invisibles harcelaient les mercenaires. Cinq hommes étaient déjà tombés.

Vers où les poussait-on ainsi ?

Comme si ça ne suffisait pas, les feulements, les glapissements, les rugissements et les trilles impossibles à identifier ne cessaient jamais. Et le squelette d'un ogre, rencontré en chemin, n'avait rien eu de rassurant. Quelle créature vorace avait pu régler le compte de ce gaillard ? Là encore, Vhenlar ne tenait nullement à le savoir…

Certes, toutes les forêts du monde comptaient leur lot de créatures nuisibles et de monstres. Mais selon les bavardages de comptoir et les récits d'aventuriers propres à faire dresser les cheveux sur la tête, les bois du Téthyr remportaient la palme de l'épouvante ! Cela expliquait en partie les difficultés rencontrées par les elfes qui y vivaient… S'ils affrontaient autant de monstres qu'on le disait, comment auraient-ils pu en plus se défendre efficacement contre les incursions des humains ? Bunlap et son mystérieux employeur comptaient là-dessus pour remporter la partie.

Le chef des mercenaires avait regagné sa forteresse pour recruter d'autres hommes, laissant à son lieutenant le soin de retrouver les fuyards et de les abattre. Une lubie que Vhenlar et les siens paieraient sans doute de leur vie… Et les flèches qu'on leur décochait de temps à autre – vertes et plus noires –, ne serviraient en rien les desseins de Bunlap. Leurs dogues abattus, les mercenaires n'avaient plus d'armes efficaces contre les elfes. Surtout dans la forêt !

Un rugissement lointain fit sursauter les soudards. L'un d'eux alluma une torche. Il faisait vraiment trop sombre… Les yeux ronds, Vhenlar vit surgir trois elfes ! Avant de disparaître avec ses compagnons, un jeune guerrier aux cheveux noirs tressés et aux yeux farouches lança quelque chose sur un homme…

Quelques feuilles !

Déconcerté, Vhenlar se tourna vers un ancien forestier reconverti.

— Tu en sais plus sur la forêt que nous tous réunis… Comment expliques-tu ce geste ? L'elfe aurait pu abattre Tacher et Justin !

Le forestier leva une main, intimant le silence à ses compagnons.

Une sorte de chuchotement retentit.

Les yeux écarquillés d'horreur, l'homme déguerpit.

Un cri de rage éclata.

Celui d'un dragon…

Vhenlar se pétrifia…

Le monstre surgit avec la violence d'une lame de fond. Ce reptile blanc se détachait d'autant plus dans les ténèbres. Il s'arrêta et souffla… la mort… sur les mercenaires.

Vhenlar regarda sa mort en face. En un clin d'œil, ses compagnons les plus proches furent couverts d'une pellicule de givre.

Des statues de glace sous la main vengeresse de quelque sorcière, aurait-on pu penser…

Stupéfait, Vhenlar s'avisa que le souffle ne l'avait pas atteint. Imité par les rares survivants, il prit ses jambes à son cou sans demander son reste.

Les horribles bruits de mastication leur donnaient des ailes.

CHAPITRE X

Du haut de sa forteresse, Bunlap avait une vue splendide sur le Téthyr et sa mosaïque de paysages. A l'est se dressaient les monts EtoileSpire aux neiges éternelles, à l'ouest les contreforts et au nord, la forêt. De son fief dominant la plaine, Bunlap prélevait la dîme sur la myriade de fermiers ou de trappeurs qui empruntaient le fleuve pour gagner Zazesspur. Et nul ne lui en contestait le droit. Les Téthyriens étaient tellement accoutumés à s'acquitter de tributs, à graisser la patte aux uns et aux autres… ! Les hobereaux se reproduisant comme des lapins, il fallait bien que tout le monde vive. Bunlap tenait son lopin de terre grâce aux armes de ses mercenaires et grâce à sa forteresse. Aux yeux des Téthyriens, ça suffisait à le hisser au rang de noble.

Le baron Bunlap… Quelle ironie ! Existait-il sous le soleil un homme de plus basse extraction que lui ? Au Téthyr, les origines ne comptaient pas. L'ancien soldat zhentilar avait amassé en quelques années plus de terres, de richesses et de pouvoir que la plupart des seigneurs du Cormyr ! Par le sang de Bane le Fléau, il adorait ce pays !

— Une gabare en approche ! cria un des guetteurs.

Bunlap se rembrunit. Avec son réseau d'espions, il savait tout sur ceux qui empruntaient « son » fleuve.

125

Ce plat-bord était analogue aux embarcations des pillards nordiques, avec un mât unique. Assez petit pour échapper au plus zélé des guetteurs, il pouvait emporter une dizaine d'hommes, et stocker quantité de marchandises de contrebande. L'exemple typique d'esquifs douteux que les espions étaient payés pour signaler.

Bunlap ordonna de barrer son tronçon de fleuve avec une chaîne à gros maillons guidée par des poulies et solidement ancrée à des piliers, sur les deux berges. Aucun bateau ne passerait plus.

Comme prévu, le plat-bord suspect s'orienta aussitôt vers la rive opposée à la forteresse. Logique. Mais bien entendu, des soldats attendaient les contrebandiers.

Dès qu'il s'avisa du piège où ils étaient tombés, un mage invoqua une boule de feu pour consumer l'embarcation plutôt que de la laisser aux mains de la soldatesque.

Grâce à sa longue-vue, Bunlap ne perdit rien du spectacle. Ce qu'il découvrit ensuite le fit sursauter.

L'étrange équipage aux prises avec ses hommes était vêtu de tuniques et de braies pourpres... Des mercenaires attachés au palais et à la famille Balik. Bizarre, car le pacha et les siens ne s'aventuraient guère hors de Zazesspur.

Plus insolite encore : il y avait une elfe parmi eux !

Elancée, les cheveux noirs, la peau blanche... Une elfe de lune ?

Que venait-elle faire là avec son drôle d'équipage ? En tout cas, c'était une escrimeuse d'un rare talent. Furieux, Bunlap la vit tailler ses hommes en pièces avec une déconcertante facilité. Pas un ne faisait le poids face à elle. Bunlap en personne doutait de pouvoir lui tenir tête.

Le crissement du fer contre le fer cessa. La furie avait fait le vide autour d'elle ! Mais qu'à cela ne tienne… Elle et ses mercenaires pourpres seraient bientôt soumis à Bunlap. Leur embarcation détruite, ils ne fuiraient plus. A quelques coudées au sud, deux barques apparurent au fil de l'eau, coque retournée, trois paires de jambes pourpres les propulsant. D'autres gardes du pacha arrivaient à la suite… Au milieu des brumes, les hommes de Bunlap luttaient encore contre l'elfe ! Enragé, le faux baron comprit la manœuvre : grâce au brouillard, les gardes du palais contournaient la chaîne pendant que leur satanée complice occupait les soldats de la forteresse !

Et Bunlap n'y pouvait rien. Furieux, il était prêt à parier que, la brume dissipée, l'extraordinaire guerrière disparaîtrait.

Quant à sa destination, elle ne faisait aucun doute : pas les montagnes, grouillantes de tribus naines, mais la forêt des elfes.

Une guerrière de lune, assez rusée pour lui échapper et influente pour bénéficier du soutien de la famille régnante de Zazesspur ? Voilà qui n'augurait rien de bon… Comme s'il n'avait pas déjà assez de problèmes avec cette forêt trois fois maudite !

Bunlap descendit dans la cour observer quelques instants l'entraînement des nouvelles recrues. De bons éléments… Jusqu'ici, la politique autarcique des elfes avait joué pour Bunlap. Et si cette elfe de lune voulait par hasard leur proposer ses services, elle serait reçue comme un chien dans un jeu de quilles ! Mais à supposer qu'elle amadoue ses congénères sauvages, une épée de plus ne ferait guère de différence… Quoi qu'il en soit, elle ne perdait rien pour attendre.

Il y avait assez de haine, dans le cœur de Bunlap, pour envoyer Eternelle Rencontre au fond de l'océan.

Furet éperonnait sa monture. Suivre un bateau sans être repéré n'avait rien d'évident. Et le terrain ne lui était pas familier… Par bonheur, elle était une forestière émérite. Elle gagna l'embouchure du fleuve à temps pour assister à la bataille… et admirer la stratégie payante d'Arilyn.

Elle devrait en apprendre plus sur ses motivations.

Le combat achevé, Furet fit un détour prudent par les collines, loin de la forteresse. Si elle ne savait rien des hommes ou du chef qui y vivaient, elle s'était assez frottée aux hobereaux pour éviter leur commerce.

Jusqu'au lendemain, Furet continua à pister la demi-elfe, impressionnée par sa vitesse de déplacement. Elle libéra sa jument puis s'engagea dans la forêt, certaine de retrouver la trace d'Arilyn avant la tombée de la nuit. Alors, elle saurait ce qui attirait une tueuse à gages vers les ombres du Téthyr.

La lumière de la lune traversait à peine la voûte végétale, incroyable entrelacs de feuilles, de branches et de lianes. Furet eut plus de peine que prévu à remonter la piste d'Arilyn. Enfin, elle l'aperçut, à genoux, examinant des traces de loup. La tueuse se releva et continua vers le nord.

Selon toute apparence, elle traquait un loup ! Pour quelle obscure raison ? A moins qu'il ne s'agisse d'un loup-garou… ?

Perchée sur un tremble, Furet vit Arilyn atteindre une clairière, poser son sac sur l'herbe et en sortir divers objets. L'un évoquait de l'argent liquide… Ensuite, elle se déshabilla, roulant ses vêtements en boule pour les fourrer dans le creux d'un arbre, et se frotta longuement comme pour chasser une souillure invisible. Au clair de lune, sa peau pâle paraissait lumineuse. Elle passa des habits couleur vert feuille puis ramassa l'« argent liquide » : une cotte de mailles d'une extraordinaire finesse. Ainsi équipée, Arilyn évoluait avec la fluidité chatoyante d'une cascade de lumière. Elle remit enfin son ceinturon, avec la lame de lune, puis coiffa un serre-tête vert et argent qui dégageait ses oreilles… Envolée la tueuse à gages hybride ! A sa place se tenait une noble et fière elfe de lune.

Furet n'aurait pas cru une telle transformation possible. Cela dépassait les astuces habituelles des assassins…

Arilyn prit un petit objet en bois dans son sac, le porta à ses lèvres et siffla. Un cri étrange résonna dans la forêt… On lui répondait.

Un signal ?

A l'autre bout de la clairière apparut un majestueux loup blanc de deux ou trois fois la taille d'un animal normal. Il avait de grands yeux bleus respirant l'intelligence et une grâce surnaturelle…

Un Lythari !

Une fois encore, Furet n'en revenait pas… Ces elfes métamorphes, les Ombres d'Argent, étaient les plus évanescents, les plus furtifs et les plus doués de leur espèce. Peu de gens connaissaient leur existence. Parfois, les *Lythari* fondaient avec une férocité incroyable sur les ennemis de la forêt. Même les elfes des bois avaient du mal à les voir venir.

Les contours du loup à la fourrure argentée se brouillèrent… A sa place apparut un jeune elfe à la beauté saisissante. Furet se mordit les lèvres pour retenir un cri admiratif.

Le magnifique Ombre d'Argent salua Arilyn avant de l'étreindre.

Malgré tous ses efforts, Furet ne capta rien de la conversation qui suivit. Puis le *Lythari* reprit sa forme animale, laissant Arilyn monter sur son dos… Tous deux disparurent en un clin d'œil. Inutile d'espérer pister un *Lythari*.

Perplexe, Furet descendit de son arbre. Autour d'Arilyn, le mystère s'épaississait. Comment concilier la tueuse à gages avec la demi-elfe qui maniait une lame de lune et comptait un *Lythari* au nombre de ses amis ? Impossible !

CHAPITRE XI

Quoi de plus encourageant qu'un plan couronné de succès ? La corvée des comptes ne réussissait pas à doucher l'enthousiasme du prince Hasheth. Même Arilyn Lamelune lui avait fait des compliments !

Achnib, le scribe du seigneur Hhune, lui portait sur les nerfs… Mais chaque médaille avait son revers. Comment un homme aussi astucieux que Hhune supportait-il dans son entourage des imbéciles comme Achnib ? Certes, le scribe exécutait à la lettre ses directives. Mais si une seule pensée originale s'aventurait dans son crâne, la malheureuse périrait vite de solitude ! Obséquieux, diligent, il avait d'épaisses moustaches, des cheveux noirs gominés et… le front d'imiter son maître jusque dans ses intonations de voix ou sa démarche ! En revanche, il lui manquait cruellement son amour de l'intrigue et sa compréhension des subtilités du pouvoir. Au contraire de Hhune, Achnib ne tentait nullement de s'attirer la loyauté de ses subalternes. Il cherchait seulement à ce qu'un peu de la gloire de ses supérieurs rejaillisse sur lui.

Un crétin, selon Hasheth… Comment ne pas s'aviser que les plus grands seigneurs, malgré toute leur puissance, dépendaient aussi de l'efficacité et du bon vouloir des derniers de leurs serviteurs ? Un homme qui entendait occuper le devant de la scène avait intérêt à contrôler les coulisses.

Deux fois moins âgé qu'Achnib et dix fois plus sagace, Hasheth s'était procuré une pièce d'or identique à celle que lui avait montrée son maître, afin de l'étudier. Danilo Thann se passionnant pour les symboles, Hasheth avait beaucoup appris avec lui. Il en récoltait maintenant les bénéfices. S'il voulait avoir une place au sein des Chevaliers du Bouclier, il devrait apprendre leur identité.

La mère d'Hasheth avait porté le symbole des Chevaliers jusqu'à sa mort en couches. La confrérie était aussi active au Sud que les Ménestrels au Nord. Elle tenait son influence d'immenses richesses et de son aptitude à conserver les secrets. Quels étaient ses objectifs ? Bien malin qui eût pu le dire. En tout cas, les Chevaliers détestaient Eau Profonde et ses seigneurs.

— Où avez-vous eu ça ?

Hasheth sursauta. Tout à ses cogitations, il n'avait pas entendu Achnib. Le scribe lui arracha la pièce des mains.

— C'est la marque de notre maître ! Où l'avez-vous eue ?

— Au *Minotaure Pourpre*. (Ce n'était pas faux… et cela eut le mérite de désarçonner Achnib.) Comme vous le savez sans doute, le seigneur Hhune a engagé des assassins pour débarrasser notre ville d'un Ménestrel. Deux furent tués dans cette auberge. L'un avait cette pièce sur lui. L'homme ayant échoué, j'ai pris la liberté de l'en délester afin de la restituer à notre maître. Si vous voulez vérifier, la patronne confirmera mes dires. Vous pourriez aussi faire un tour à la guilde des assassins…

Sous ces suggestions innocentes, l'insulte à trois niveaux fit pâlir le scribe.

D'abord, Achnib ne savait rien de tout ça. Que le nouvel apprenti s'offre le luxe de le lui apprendre l'élevait d'un coup dans la hiérarchie…

Ensuite, Achnib n'étant ni riche ni bien né, l'arrogante patronne d'un établissement de grand luxe comme le *Minotaure* ne le recevrait certainement pas avec des gants. Quant à obtenir d'elle une information… Achnib pourrait toujours se rhabiller !

Enfin, inviter quelqu'un à rendre visite à la guilde des assassins équivalait à souhaiter le voir mort…

— Hhune en entendra parler ! grogna Achnib.

Ironique, Hasheth inclina la tête.

— Vous êtes trop bon… Proposer de parler de moi à notre maître ! J'avais pensé lui restituer la pièce d'or afin de ne pas vous ennuyer avec ces détails, mais ce serait mieux, bien sûr.

Achnib s'empourpra.

— Mensonges ! Vous vouliez la garder !

Pour toute réponse, le jeune prince prit un registre et l'ouvrit à la page du jour avant de le tourner vers son interlocuteur, qui lut la dernière entrée…

— Je ne relèverai pas votre insulte, ce serait au-dessous de moi. Etant fils de pacha, j'ai peu de besoins. Mais puisque la pièce d'or est entre vos mains, peut-être devriez-vous signer aussi le registre ?

Le scribe arracha la plume à Hasheth et s'exécuta de mauvaise grâce avant de tourner les talons.

Le prince ricana dans sa barbe. Le pauvre idiot ! Il n'avait vu qu'une pièce d'or, rien d'autre… Bientôt, Achnib s'en mordrait les doigts.

Renard-de-Feu, les survivants du raid et les renforts de Hautes Futaies – six guerriers – rendirent les derniers hommages à leurs morts, unis dans une même tristesse.

Mais Renard-de-Feu était loin d'être aussi serein qu'il le paraissait. Il ne se résignait pas à ce que les siens soient victimes de la malfaisance humaine. Agé de cent ans à peine, il avait trop vu la mort à l'œuvre. Trop de sang versé, trop de changements brutaux… Hors de la forêt immémoriale, les événements s'accéléraient à une vitesse vertigineuse. Impossible pour les elfes de se mettre au diapason. En un siècle, des royaumes s'étaient succédé, des forêts avaient reculé devant les cultures, des colonies avaient surgi comme des champignons… Pour Renard-de-Feu, les humains étaient des frelons bourdonnant, virevoltant et disparaissant en un clin d'œil… A leur corps défendant, les elfes du Téthyr avaient été entraînés dans ce tourbillon… Comment y mettre un terme ?

Les rites funèbres achevés, Tamsin fit son rapport.

— Nous avons exécuté tes ordres, Renard-de-Feu. Le dragon blanc est retourné dans son antre, repu. Parmi ceux qui nous poursuivaient, une dizaine d'hommes a dû périr.

— Bien. Sans vous, nous étions condamnés.

— Mais nous aurions pu faire plus ! Pourquoi laisser des humains en réchapper ? Nous vivrions mieux si toutes les Oreilles Rondes qui se risquent dans notre forêt étaient abattues !

Renard-de-Feu garda le silence un long moment.

— Non. Tous ne sont pas mauvais : les druides, les forestiers, les dames des cygnes…

— Mais ceux qui nous traquaient…

— … s'acharneront. Il est temps de passer de gibier à chasseur.

— Des petits groupes d'archers ? proposa Tamsin.

— Non. Nous avons assez récupéré pour faire front. Frappons vite et fort.

— Je pars en reconnaissance !

Pour une fois, Renard-de-Feu ne chercha pas à tempérer l'impétuosité de Tamsin.

— Tu guideras le premier groupe. Repérez nos ennemis, grimpez dans les arbres, dépassez-les puis attaquez du nord. Korrigash ira à l'est, Eldrin prendra les archers à l'ouest et Wyndelleu au sud.

— Et toi ?

— Je me battrai à tes côtés, mais tu commanderas le groupe du nord. Va !

Ravi de mener pour la première fois ses frères au combat, Tamsin partit, les yeux pétillants.

Le camp fut rapidement levé…

A l'aube suivante, Tamsin et les siens repérèrent le bivouac des humains, non loin de l'endroit où le dragon blanc avait festoyé. Les mercenaires l'ignoraient, apparemment. Trois sentinelles montaient la garde. Tamsin communiqua par signes avec Sontar et Aile-de-Faucon. Sous l'œil approbateur de Renard-de-Feu, les trois elfes se chargèrent efficacement des sentinelles… Quarante-trois humains dormaient à poings fermés… Un contingent considérable. A l'instar des elfes, les mercenaires avaient eu des renforts.

Voilà qui n'augurait rien de bon.

Mais si Renard-de-Feu en savait peu sur ses ennemis, il avait conscience que le rapport privilégié existant entre les siens était inconnu chez les humains… Une sorte de communion d'esprit permettait aux fils des étoiles d'échanger des pensées et des sentiments, même à grande distance. C'était particulièrement vrai pour les jumeaux, comme Tamsin et Tamara, et pour les amants… Mais à défaut de télépathie, les humains pouvaient encore recourir à la magie…

Soudain, des bruits métalliques – les sinistres détentes de pièges à ressort –, troublèrent la quiétude.

Réveillés en sursaut, les mercenaires empoignèrent leurs armes et bondirent sur leurs pieds.

Tamsin se tordit de douleur, accablé par la culpabilité.

— Protège-toi ! souffla Renard-de-Feu. Le mal est fait…

— Comment cela a-t-il pu arriver ? demanda Aile-de-Faucon, les yeux écarquillés d'horreur. Pourquoi nos frères n'ont-ils pas vu les pièges ?

— Les humains ont un sorcier, répondit Renard-de-Feu en encochant une flèche.

Tamsin se concentra. Et repéra le sorcier ennemi grâce à ses affinités particulières avec la forêt, la vie et la nature…

— Là-bas ! C'est lui…

La flèche de Renard-de-Feu siffla vers sa cible… et se consuma spontanément avant de l'atteindre.

Les autres humains n'eurent pas cette chance. Les archers de Wyndelleu les massacrèrent.

Indifférent, le thaumaturge incanta avant de taper dans ses mains.

Toutes les flèches qui volaient dans les airs s'embrasèrent… Un projectile fut renvoyé à la source… Horrifié, Renard-de-Feu vit cinq elfes être instantanément calcinés.

Trop tard pour battre en retraite… Et les humains tenaient maintenant sept elfes à leur merci. Les victimes des pièges à loups…

Un homme cria quelque chose en direction des arbres. Echangeant un regard perplexe, Tamsin et Renard-de-Feu haussèrent les épaules. L'humain fit volte-face et transperça le prisonnier le plus proche avant de brandir sa lame rouge de sang.

Un défi éloquent.

Aile-de-Faucon se laissa tomber sur le sol. Sans

hésiter, tous ceux qui le pouvaient encore l'imitèrent, avançant vers le cercle mortel du sorcier.

Ailleurs, au Téthyr, Arilyn se cramponnait à la crinière du loup, son ami. Elle connaissait Ysengrin depuis l'enfance, mais rien ne l'avait préparée à pénétrer dans le royaume secret des *Lythari*…

Il n'y avait ni accès évident, ni portail magique. En un instant, Ysengrin et Arilyn passèrent de la forêt du Téthyr à une autre, extraordinairement belle et vibrante d'énergie sous les feux enchanteurs du crépuscule.

Le berceau des elfes, une contrée légendaire destinée à exister une seule journée – mais quasi éternelle… Une allégorie ?

Ysengrin reprit sa forme elfique.

— Notre domaine est à cheval sur plusieurs mondes, dit-il. Viens…

Il guida son amie vers une splendide cascade sous laquelle s'ébattaient d'autres *Lythari*.

Au premier coup d'œil, Arilyn comprit que rien n'arracherait ces créatures magiques à ce paradis. Surtout pas la perspective d'une guerre ! Une véritable obscénité dans un cadre à la beauté et à la sérénité sans pareil.

Des elfes dansaient au rythme des accords envoûtants d'une flûte en os, d'autres se baignaient… Arilyn sourit, enchantée par tant de joyeuse insouciance, et se rappela sa première rencontre avec Ysengrin…

Trop aventureux pour son propre bien, le jeune *Lythari* avait été pris dans un piège à loups. En balade du côté d'Evereska, en dépit des avertissements de sa mère, Arilyn l'avait délivré, ravie d'avoir un louveteau comme compagnon. Sa mère, Z'beryl, qui ne l'entendait pas de cette oreille, prévint la tribu du *Lythari*.

Peu après, un émissaire était venu chercher le « louve-teau ». Lequel avait fait preuve, au fil des ans, d'un esprit aussi indépendant et contrariant qu'Arilyn… A plusieurs reprises, il avait faussé compagnie à ses congénères pour revenir folâtrer avec la jeune hybride.

A la mort de sa mère, quand Arilyn avait quitté Evereska, Ysengrin lui avait confié un sifflet et le moyen de le contacter. L'aventurière mesurait seule-ment maintenant la portée de son geste.

— Les *Lythari* ne m'écouteront pas, soupira Arilyn.

— Non, confirma son ami. Mais je devais te mon-trer, afin que tu comprennes… (Il l'entraîna à l'écart de la cascade.) Je te guiderai volontiers vers la com-munauté la plus proche : Hautes Futaies. Je regrette de ne pouvoir faire plus…

Malgré sa déception, Arilyn sourit en imaginant l'impact qu'aurait sur les elfes l'apparition d'un être comme Ysengrin.

— C'est déjà beaucoup, mon ami. Si pareille entrée en scène n'arrive pas à impressionner les elfes des bois, autant tourner tout de suite les talons !

La résidence du pacha Balik dominait Zazesspur de sa splendeur. A l'origine, Alehandro III avait fait construire le palais d'été qui, par extraordinaire, avait survécu à l'éviction sanglante de la famille régnante et à la destruction systématique de ses propriétés. A son accession au pouvoir, Balik y avait pris ses quartiers, faisant du domaine un immense complexe de marbre cerné par des jardins plus spectaculaires encore.

Le plus récent ajout était la salle du Conseil. Chacun des douze nobles qui le composaient le voyait comme un tremplin idéal vers de plus hautes fonctions. Mais ces dernières années, le Conseil s'était surtout fait le porte-parole de la volonté du pacha…

Imbu de lui-même, Balik était devenu sourd aux avis des sudistes, des royalistes et des marchands coalisés qui l'avaient porté au pouvoir. Ce jour-là toutefois, il paraissait disposé à écouter ses conseillers.

— Vous êtes tous conscients de la menace que représentent les elfes, commença-t-il. Des caravanes attaquées, des fermes et des comptoirs commerciaux mis à sac… Il faut réagir !

Faunce, un des rares seigneurs à avoir hérité de son titre, se leva pour prendre la parole.

— Qu'ont à dire les elfes ?

— Les dieux seuls le savent. Le Conseil elfique a été détruit, la ville réduite en cendres…, répondit Zongular, un prêtre d'Ilmater.

Hhune se leva.

— Mes seigneurs, dois-je vous rappeler que par le passé, on a cherché à chasser les elfes de ce royaume ? On confisqua leurs terres, on en massacra un grand nombre… Les survivants se sont réfugiés dans les bois… Soyons patients. Au minimum, tâchons d'y voir plus clair. Agir précipitamment entraînerait la mort inutile de nos guerriers et de nombreux innocents.

Les autres conseillers échangèrent des regards dubitatifs. Ah, les vents changeants de la fortune… Du temps du roi, Hhune n'aurait pas été le dernier à « bouffer de l'elfe »…

— Les elfes ont la mémoire longue, souligna la marquise D'Morreto. Ils pourraient vouloir se venger d'anciennes atrocités…

— Nous n'avons aucune preuve qu'il s'agit bien d'eux ! lança Hhune.

— Si ce n'est pas eux, alors qui ? demanda Faunce. Et pourquoi chercher à tout prix à les incriminer ?

— Voilà ce que je me propose de découvrir, dit Hhune. Certains, dans ce royaume, ont réponse à tout… Accordez-moi un peu de temps, et nous saurons la vérité.

Tous avaient saisi l'allusion aux Chevaliers du Bouclier. Et plus d'un soupçonnait Hhune d'y être affilié. En tout cas, libre à lui de se charger du problème épineux des elfes du Téthyr !

Par bonheur pour Hhune, nul ne se doutait de ses intentions véritables. Hormis son garde du corps aux yeux gris acier, une cicatrice bizarre sur une joue…

L'homme cacha une grimace derrière sa main.

A moins que ce ne fût un sourire.

CHAPITRE XII

Sous sa forme de loup, Ysengrin filait comme le vent. Arilyn se cramponnait à sa crinière argentée. Tard, ce jour-là, ils atteignirent Hautes Futaies. La forêt avait d'étranges propriétés magiques propres à désorienter les intrus. A l'approche du *Lythari*, deux dryades pointèrent le bout du nez. Quand un humain venait par hasard dans les parages, elles l'envoûtaient entre deux éclats de rire... Lorsque l'homme se réveillait, déboussolé, et retournait dans son foyer, il apprenait à son grand dam qu'il avait disparu depuis un an... Une année dont il n'avait aucun souvenir !

Passé le bosquet des dryades, même Ysengrin n'échappait plus à la détection. Outre les patrouilles de bipèdes, les oiseaux et les écureuils jouaient volontiers leur rôle de sentinelles. Arilyn nota des changements subtils dans leurs trilles... On annonçait leur venue à la cantonade.

— Ils savent que nous sommes là, Ysengrin. Autant que je descende... (Elle posa une main sur l'épaule d'argent de son ami.) Si les choses tournaient mal, fuis ! D'accord ?

— Et toi ?

— Reviens chercher ma lame de lune. C'est beaucoup demander, mais les elfes des bois te la remettraient sans discuter. C'est une épée héréditaire. Sa mission remplie, elle se désactivera d'elle-même.

— Une épée héréditaire… Tu as donc des enfants ?

Une question logique… qui frappa Arilyn comme un coup de poing. Elle n'y avait jamais réfléchi, guère pressée de mettre au monde des rejetons soumis aux mêmes pressions et aux mêmes préjugés qu'elle. Du reste, quelle chance aurait son enfant de passer l'épreuve de la lame de lune ? Non, elle ne voulait pas condamner son hypothétique progéniture à une mort immédiate… ou à la servitude éternelle.

Quel héritage maudit !

Mais la dynastie des Fleur de Lune ne s'éteindrait pas avec elle. Les dieux savaient combien de tantes, d'oncles et de cousins elle avait à Eternelle Rencontre !

Si elle restait inféconde, elle devrait nommer un héritier à qui léguer sa lame de lune.

— Le prince Lamruil d'Eternelle Rencontre ! décida-t-elle. Le fils cadet d'Amlaruil. Mon oncle… Je le nomme mon héritier. Si un malheur m'arrive, tu lui remettras mon épée.

— Tu es apparentée à la reine ? Et tu ne m'en as jamais rien dit ?

Pourquoi Amlaruil inspirait-elle toujours autant d'émoi et de respect ?

— Je n'aime pas me vanter… Viens, on nous attend !

Après quelques centaines de pas, Ysengrin fit lever la tête à sa compagne… qui découvrit, époustouflée, une communauté florissante perchée dans les arbres. Les nids reliés aux passerelles se fondaient si bien dans le décor que seul un *Lythari* pouvait les remarquer du premier coup d'œil. On eût pu passer cent fois à côté sans en soupçonner l'existence !

Hautes Futaies… Mais où étaient ses habitants ?

— Où sont-ils ? chuchota Arilyn.

— Tout autour de nous. Lis à haute voix la proclamation de la reine.

Elle secoua la tête. A son avis, le plan d'Amlaruil avait très peu de chances d'être couronné de succès. Pour l'heure, la Ménestrelle ferait les choses à sa façon.

— Peuple de Hautes Futaies, commença-t-elle en elfique, je viens vers vous au nom d'Amlaruil, la reine d'Eternelle Rencontre. Etes-vous prêt à écouter son ambassadrice ?

Sans un bruit ni un murmure, elle fut soudain entourée par des elfes à la peau cuivrée. Ces êtres surprenants ne faisaient vraiment qu'un avec la forêt !

Vêtus de peaux ornées de plumes et d'os, ils n'avaient pourtant rien de primitif. Si Arilyn leur inspirait une vague curiosité, la vue d'Ysengrin les remplissait d'une crainte admirative. C'était sans doute la première fois qu'ils posaient les yeux sur une Ombre d'Argent.

Un guerrier aux traits étrangement familiers avança vers Arilyn.

— Je suis Rhothomir, l'orateur de la tribu de Hautes Futaies. En l'honneur du noble *Lythari* qui a jugé utile de vous guider jusqu'à nous, nous vous écoutons.

Ce manque flagrant d'enthousiasme pour la reine des elfes consola un peu Arilyn. Mais elle en était déjà à un tournant décisif : il lui fallait maintenant donner son nom, citer sa maison… Jouant son va-tout, elle dégaina sa lame de lune, mit un genou à terre devant l'orateur et déclama :

— Je suis Arilyn Lamelune, la fille de Z'Beryl du clan Fleur de Lune. En ma qualité de guerrière, j'ai renoncé aux liens claniques pour prendre le nom de mon arme ensorcelée. Eternelle Rencontre a eu vent de vos difficultés. Au nom de la reine Amlaruil, je viens offrir mon épée et ma vie pour défendre votre tribu.

Elle posa sa lame aux pieds de l'elfe des bois.

Après un long silence, Rhothomir lâcha :

— La reine d'Eternelle Rencontre nous envoie *une* guerrière ?

— Qu'aurait été votre réaction si elle vous avait dépêché un millier de combattants ? Qu'auriez-vous pensé si tant de bottes étaient venues piétiner vos sous-bois et ouvrir ainsi la voie à vos pires ennemis ? Avec le soutien de mon ami, Ysengrin de la tribu Capegrise, j'ai laissé une piste que nul ne pourra remonter.

Un autre silence.

— Pour une citadine, vous avancez en silence…, concéda Rhothomir. Reprenez votre épée et repartez aussi discrètement que vous êtes venue. Nous n'avons pas besoin de vous.

— Non !

A la surprise générale, une elfe vint se camper près de Rhothomir, ses yeux noirs rivés sur Arilyn.

— Réfléchis, mon frère. Si les Ombres d'Argent sont disposées à se battre pour nous, nous n'aurons plus de mal à débarrasser notre forêt des humains qui la profanent !

Arilyn écarquilla les yeux. Cette voix… Sans jamais l'avoir entendue, elle la connaissait !

C'était celle de la tueuse qui s'ingéniait à parler en chuchotant, qui usait de cosmétiques pour dissimuler sa peau et qui se transformait à l'occasion en beauté orientale aux yeux en amande… Son turban de soie avait caché les pointes de ses oreilles… Sur son épaule nue, elle portait un tatouage qui représentait un furet en chasse.

144

Si Furet révélait la véritable nature d'Arilyn, le prince Lamruil hériterait instantanément de la lame de lune ! La présence à Hautes Futaies d'une demi-humaine serait considérée comme un outrage à laver dans le sang.

— Orateur, écoutez le sage conseil de votre sœur, dit Arilyn. J'ai prié le *Lythari* de venir à votre aide. Et le noble Ysengrin doit maintenant retourner vers les siens…

Le métamorphe lui lança un regard pénétrant. Elle lui sourit. Tout irait bien.

Au grand soulagement de son amie, Ysengrin tourna les talons et s'en fut.

Arilyn reprit son épée.

— Je puis vous offrir davantage qu'une alliance avec les *Lythari*. La plupart d'entre vous n'ont jamais eu affaire aux humains. Moi, oui. Je connais leurs méthodes, leur monde et leur tactique.

Rhothomir se tourna vers sa sœur.

— Qu'en dis-tu ?

— J'aimerais lui parler en tête-à-tête.

— Accepter des étrangers ne va pas sans risque, rappela l'orateur.

— Nous pèserons les risques et les bénéfices. Laisse-moi parler à cette elfe de lune, et décider si sa proposition vaut la peine.

Après délibération, Rhothomir céda. Furet approcha d'un chêne, tira sur une liane et fit descendre l'échelle de corde qui donnait accès au logement niché dans les branches de l'arbre. D'un geste impatient, elle ordonna à l'ambassadrice de la suivre.

Arilyn s'exécuta.

Le nid était petit et peu meublé : une peau d'ours servait de couche, des pots d'argile contenaient des effets personnels et quelques habits pendaient aux parois. Les deux elfes s'assirent en tailleur.

— D'où connaissez-vous une Ombre d'Argent ? attaqua Furet.

— C'est mon ami d'enfance. Je l'avais libéré d'un piège.

— Au Téthyr ?

— Non, à des jours de marche au nord d'ici, là où vit sa tribu. Les *Lythari* couvrent des distances impressionnantes en peu de temps. Leur magie a de quoi étonner.

— Et comment se fait-il que vous possédiez une lame de lune ?

— Je la tiens de ma mère, Z'beryl.

— Mais comment est-ce possible ? Aucune de ces lames n'est jamais tombée entre de mauvaises mains !

— Celle-là ne fait pas exception. Elle ne peut pas verser le sang des innocents. Si vous tenez à le vérifier, battons-nous en duel !

Un lourd silence suivit ce défi.

— Qui êtes-vous ? Une tueuse à gages ou une noble guerrière ?

— Qui êtes-*vous* ? Aux dernières nouvelles, vous-même étiez prête à égorger un homme pour quelques misérables pièces d'or.

— Vous connaissez le Ménestrel ? Où est-il ?

— Très loin de votre atteinte.

Après un autre silence songeur, Furet sourit.

— Eh bien… Que représente-t-il à vos yeux ?

— J'ignore en quoi cela vous intéresse.

— Un Ménestrel nous serait des plus utiles. A supposer que nous chassions les humains de notre forêt, qu'est-ce qui les empêchera de revenir à la charge ? Notre tribu a besoin d'un agent capable de remonter à la source de nos problèmes.

— Et c'était votre objectif à Zazesspur ? Assassiner les rivaux et les maîtresses infidèles de quiconque avait les moyens de se payer vos services ?

Furet ne sourcilla pas.

— J'agissais au nom de mon peuple, comme toujours. Nos ennemis, je les tue. C'est aussi simple que ça.

Les deux elfes se dévisagèrent en silence.

— Il y a beaucoup d'ombres au tableau, admit Arilyn. Je regrette que Danilo et moi n'ayons pu faire équipe, lui parmi les humains, moi parmi les elfes… Mais la réponse à nos questions est en partie dans la forêt.

— Donc, vous êtes aussi une Ménestrelle… Voilà qui expliquerait tout.

— Comprenez une chose, Furet : représailles justifiées ou pas, les récentes attaques vous attireront des ennuis. (Elle leva une main, coupant court à l'indignation de son interlocutrice.) Vous parliez de chasser les envahisseurs de votre territoire… Ce serait une première étape. Il s'agirait ensuite de trouver leur repaire. Si tout ça est un vaste complot contre nous, il faudra riposter en temps et en heure.

— Pourquoi vous présentez-vous comme l'ambassadrice de la reine ? Si vous êtes une Ménestrelle ?

Arilyn prit de son sac le document frappé du sceau royal et le présenta à Furet.

— La reine estime qu'une Retraite serait la meilleure solution ? cracha la sœur de l'orateur.

— Et les Ménestrels pensent que vous devriez composer avec les humains du Téthyr ! Je sais qu'aucune de ces solutions ne vous avantagera. Pourtant, je suis dans l'obligation d'agir au nom d'Amlaruil et des Ménestrels. Si vous me donnez une chance, je pense pouvoir vous proposer mieux. Je vous ai déjà dit comment.

— Supposons que je révèle votre véritable identité… Comment les miens réagiraient-ils, à votre avis ?

— J'ai désigné mon héritier.

Furet eut un sourire en coin.

— Très bien. Pour l'heure, je me tairai. Je me battrai même à vos côtés.

Consciente de la menace sous-jacente, Arilyn hocha la tête.

Une jeune elfe des bois aux yeux noirs remplis d'inquiétude se présenta.

— Furet, on a besoin de toi ! Les humains reviennent à la charge, forts de leur magie. Ils ont fait des prisonniers et nos guerriers luttent au corps à corps…

Furet bondit sur ses pieds et tendit une poignée de flèches noires à Arilyn.

— C'est le moment ou jamais de prouver votre valeur !

Au pied des arbres, une quarantaine d'elfes brûlaient d'en découdre. Les enfants avaient disparu, conduits en sécurité par les non-combattants.

— Que savez-vous de la magie humaine, ambassadrice ? demanda Rhothomir.

— Rien de bon.

— Mais vous y avez eu affaire ?

— Plus d'une fois.

Rhothomir se tourna vers ses guerriers.

— Je me range à l'avis de ma sœur : l'elfe de lune nous guidera au combat. Aux armes !

Arilyn se lança sur le sentier de la guerre, suivie par toute une tribu.

CHAPITRE XIII

Le fracas de la bataille fit accélérer le pas aux elfes des bois. A une centaine de pas de la mêlée, Arilyn fit halte. Les premières flèches décochées par un de ses guerriers furent instantanément anéanties par une lumière blanche.

Sorcellerie !

— Arrêtez ! cria Arilyn.

Sous les yeux horrifiés de ses frères d'armes, l'elfe qui avait tiré fut réduit en cendres.

— Ils ont avec eux un sorcier d'Halruaa, Rhothomir ! dit la Ménestrelle.

La petite clairière et les chênes alentour grouillaient de combattants. Au centre, six prisonniers étaient ligotés. L'appât… Cinq bretteurs et un archer les tenaient en joue. Le seul homme désarmé devait être le sorcier… Son armure était plus un symbole qu'une véritable protection. L'ensemble bizarre, du cuir clouté renforcé par des plaques de métal et une coque d'entrejambe, était sans doute sorti de l'imagination fébrile d'un artificier d'Halruaa… Autour du sorcier, des mercenaires ferraillaient d'abondance contre les elfes décidés à libérer leurs frères. Près des prisonniers ne gisait aucune flèche. Et les humains n'avaient pas de blessures visibles. A quelle redoutable sphère de protection le sorcier avait-il recours ?

— Quel est le meilleur archer parmi vous ? demanda Arilyn aux elfes.

L'orateur désigna un des combattants à la flamboyante chevelure.

— Renard-de-Feu, notre chef. Nul ne peut rivaliser avec lui.

— Appelez-le !

Une main en porte-voix, Rhothomir lança un cri perçant évoquant celui d'un aigle en chasse. L'elfe roux hésita… rompit le combat et se retira de la mêlée. Voyant l'inconnue, il roula des yeux.

— Combien de flèches pouvez-vous tirer le temps d'une inspiration ? lui demanda-t-elle à brûle-pourpoint. Trois ? Quatre ?

— Six.

— Quatre, c'est ma limite… Décochez quatre flèches au sorcier, puis déguerpissez ! Ça l'occupera assez pour ce que j'ai en tête.

— Comment… ?

Pour toute réponse, Arilyn tira sa lame de lune. Le chef recula, dague au poing. Trop tard… Du plat de la lame, la Ménestrelle le désarma.

— Mon épée est rapide…

— Je vois ! Quatre flèches…

S'adressant à tous, Arilyn continua :

— Voilà mon plan : Renard-de-Feu et moi allons distraire leur sorcier puis je foncerai sur lui. Au même instant, vous devrez me couvrir et mettre leur archer hors d'état de nuire. Compris ?

Renard-de-Feu désigna quatre de ses guerriers.

— Visez les humains qui combattent Xanotter et Aile-de-Faucon, puis ceux qui gardent nos frères.

— Plusieurs d'entre vous me suivront dans la brèche, ajouta Arilyn. Ainsi, nous prendrons nos ennemis à revers !

150

Ravi, Renard-de-Feu encocha sa première flèche, prêt à tirer.

A une vitesse sidérante, quatre « foudres noires » fondirent sur le sorcier. Puis, le chef roux s'écarta tandis qu'Arilyn s'élançait, opposant la magie de son épée à celle du sorcier ennemi. Avec une rapidité hallucinante, la Ménestrelle dévia les éclairs mortels tout en courant. Un humain fut foudroyé par deux flèches dans la gorge. Arilyn se jeta sur le sorcier. Mais une sphère de feu le protégeait encore… Il lança un autre sort.

Protégée par sa lame de lune, la Ménestrelle se moquait du feu. Elle plongea son arme dans les flammes ensorcelées… Les éclairs blancs qui coururent le long du fil furent arrêtés par la garde où luisait la pierre de lune. Mais Arilyn n'avait pas réussi à traverser les protections de l'humain. Et elle n'avait aucune autre magie à lui opposer… Cependant, elle remarqua qu'à chaque estoc, la sphère s'incurvait. Une idée lui vint… Manœuvrant habilement, elle réussit à menacer la coquille d'entrejambe de son adversaire. Une coquille en métal… Les étincelles arrachèrent des piaillements suraigus au sorcier. La sphère se dissipa. Arilyn vit l'humain gigoter sur place en braillant… avant d'arracher fébrilement ses pièces d'armure et de fuir à toutes jambes.

Elle le laissa déguerpir.

Les elfes avaient d'autres chats à fouetter. Et ils ne feraient pas de quartier… Privés de la protection du sorcier, les humains préférèrent décamper sans demander leur reste.

Quand l'un d'eux s'effondra, le dos hérissé de flèches, Arilyn cria aux archers de laisser filer les autres.

Bientôt, le combat cessa faute de combattants.

Restés maîtres du terrain, les vainqueurs secoururent leurs blessés, achevèrent les mourants puis ramassèrent les armes et les flèches.

Comme une furie, Furet prit Arilyn à partie.

— Pourquoi nous avoir ordonné d'épargner ces chiens ? Quelle traîtrise est-ce là ? Ils reviendront à la charge ! Ils sont trop près de Hautes Futaies !

— Ils *devaient* fuir, répliqua Arilyn. Autrement, comment voudriez-vous qu'on les suive pour repérer leur camp ?

Les elfes se tournèrent vers leur chef, qui hocha la tête, songeur.

— Une bonne stratégie. Faunalyn, Wistari, lancez-vous sur leurs traces et revenez nous dire ce que vous aurez appris.

Les deux éclaireurs eurent vite disparu dans les bois.

Renard-de-Feu fit un grand sourire à l'elfe de lune.

— J'avais imploré la Seldarine de me guider… Un seul dieu a pu exaucer à ce point mes désirs : vous devez être l'émissaire de Rillifane Rallithil, le dieu des forêts !

— Plus prosaïquement, je suis l'envoyée d'Amlaruil Fleur de Lune…

Le sourire de l'elfe des bois s'élargit. Arilyn commençait à l'apprécier. Elle comprenait ce qui faisait de lui un chef : son charisme, son assurance, son énergie… Autant de sources d'inspiration et de dévotion pour les siens.

Les blessés évacués sur des civières, les vainqueurs regagnèrent Hautes Futaies. Malgré le succès de sa stratégie, Arilyn éveillait encore la défiance plus ou moins voilée de son entourage. Autour d'elle, on expliquait aux rescapés la raison de sa présence, tout en soulignant l'intervention extraordinaire d'un *Lythari*.

En chemin, conscient des réticences de sa tribu, Renard-de-Feu se rapprocha de l'elfe de lune.

— Pour nous, tout ce qui est nouveau a quelque chose d'inquiétant. En temps voulu, vous serez considérée comme un de nos chefs.

— Je ne suis pas un chef mais une conseillère. C'est vous qui commandez cette tribu.

— Comment saviez-vous que faire dans la bataille ?

— Je connais ces hommes. Ce genre d'hommes, plus exactement…

— Vous êtes une guerrière d'Eternelle Rencontre. Où avez-vous appris tant de choses sur les humains ?

— Si mon clan est bien natif d'Eternelle Rencontre, j'ai toujours vécu sur le continent.

— Cependant, vous exécutez les ordres de la reine. Votre dévouement doit être entier…

La question subtile, derrière le ton poli de Renard-de-Feu, n'échappa pas à la Ménestrelle.

Toutes les réponses qui lui vinrent à l'esprit manquaient cruellement de sincérité… Repérer Furet, qui marchait discrètement derrière eux, inspira à Arilyn la bonne réaction.

— J'ai des obligations envers les miens. J'ai décidé de consacrer ma vie à notre cause. Et mon épée me guide. C'est mon destin.

Qu'elle cherchât en réalité à s'y soustraire ne regardait personne.

Peu après, le groupe reçut un accueil triomphal à Hautes Futaies. Les elfes qu'Arilyn avait d'abord jugés froids et distants laissèrent éclater leur allégresse. Les blessés furent soignés et les guerriers nourris avec amour. On se lança ensuite dans des danses de victoire au son des flûtes. Le vin de mûres circula à flots.

Le calme revenu, sur l'invitation de son frère, Furet prit place au centre d'un cercle d'elfes et narra la bataille à sa façon, avec une verve et un luxe de détails surprenants. N'importe quel barde lui aurait envié son talent.

Comprenant la perplexité d'Arilyn, Renard-de-Feu se pencha vers elle pour murmurer :

— Le temps du deuil viendra à l'aube, ou après-demain… ou jamais. Les esprits de nos frères morts ne quittent pas si facilement notre belle forêt. Nous ne considérons pas comme perdus ceux qui sont encore parmi nous.

La Ménestrelle hocha la tête, l'air grave. Mais l'après-vie n'était pas un de ses sujets de prédilection.

Furet passa à un nouveau récit.

— En des temps lointains, notre peuple arpentait une forêt très différente de la nôtre : Cormanthor. Un royaume fabuleux, comme ce monde n'en connaîtra plus… Après son déclin et sa chute, les survivants trouvèrent refuge à Eternelle Rencontre. Mais certains elfes refusèrent de renoncer à la terre bénie de leurs aïeux. Vivant à l'ombre de leurs arbres, nous sommes leurs descendants.

« D'autres voulaient aussi honorer à leur façon le souvenir de Cormanthor : les elfes dorés et les elfes de lune. Une guerrière est encore présente dans nos mémoires : Soora Thea, qui maniait une épée forgée à Myth Drannor… En ces temps reculés, une race mauvaise, issue des plans maléfiques, combattit nos aïeux, les poussant dans leurs derniers retranchements. Par bonheur, Soora Thea commandait les Ombres d'Argent. Lors de la dernière bataille, les créatures mortes-vivantes et leurs alliés des Abysses furent anéantis.

« Qu'advint-il de Soora Thea ? Nul ne le sait. Au

contraire de nous, c'était une aventurière, à l'aise partout où ses pas la portaient. Mais avant de quitter le Téthyr, elle fit une promesse : tant que les feux de Myth Drannor embraseraient son épée, une héroïne reviendrait vers le peuple des bois quand il aurait besoin d'aide.

Furet plongea son regard noir dans celui d'Arilyn. Les elfes des bois vénéraient les Ombres d'Argent... Que l'ambassadrice puisse conduire les *Lythari* à la bataille leur redonnait l'espoir.

Au son des flûtes et des tambourins, les elfes se lancèrent à corps perdu dans la danse. Quand Renard-de-Feu entraîna Arilyn dans le mouvement, elle lui piétina les orteils.

— Désolée...

Il rit aux éclats.

— Si vous dansiez aussi bien que vous vous battez, même la Seldarine ne résisterait plus à vos charmes !

Arilyn sourit. A propos de séduction, son cavalier n'en manquait pas.

— Vous savez tourner les compliments... Mais je croyais que les elfes des bois ne mâchaient jamais leurs mots.

— Alors, je ne tournerai plus autour du pot : je suis ravi de votre venue parmi nous !

Le tempo s'accéléra, tourbillon d'argent, d'envolées acrobatiques et de musique. Puis la fête s'acheva sur une note d'exultation commune, la plupart des elfes plongeant avec délices dans la rêverie.

On était loin des beuveries humaines !

Arilyn savoura l'instant de grâce.

On lui avait assigné un nid. Elle y monta, mortellement lasse, se dévêtit et se rafraîchit avec une coupe d'eau fraîche aromatisée à la menthe. Puis elle mit le masque de Tinkersdam. Au cas où quelqu'un viendrait…

Renard-de-Feu était trop excité pour trouver le repos. Jusqu'à présent, il avait réussi à cacher son désespoir… Maintenant, il mesurait à quel point son fardeau l'avait accablé.

Dans un coin, Korrigash aussi contemplait les braises sans pouvoir s'abandonner à la rêverie.

Victime d'un piège à loups, il avait été moins blessé à la jambe que dans sa fierté. Renard-de-Feu le rejoignit au coin du feu.

— C'est une étrangère, bougonna Korrigash. Rien de bon n'en sortira.

Le chef fronça les sourcils.

— Comment peux-tu penser ça après la victoire qu'elle nous a apportée ?

— Je ne parlais pas de ça.

— Ah…

Dieux, rien n'échappait à un observateur aussi malin que Korrigash ! Surtout pas la fascination de son ami d'enfance pour une elfe de lune… Par bonheur, les autres étaient moins sagaces.

Accepter les ordres d'une elfe de lune était une chose. Une alliance d'ordre plus personnel serait hors de question…

Renard-de-Feu tapota l'épaule de son ami, acceptant son avis sans réagir.

En vérité, il n'aurait su quelle contenance adopter. Oui, l'elfe de lune était très différente d'eux. Mais ne pouvait-on en dire autant de l'arc et de la flèche ? Ensemble, ils devenaient une arme d'une redoutable efficacité.

Renard-de-Feu se leva et souhaita une bonne rêverie à son ami. Lui-même ne trouva pas l'apaisement.

Peu avant l'aube, ses pas le conduisirent au pied de l'arbre d'Arilyn. Non sans hésiter, il entreprit d'y monter. L'émissaire et lui avaient beaucoup à se dire.

Mais il vit qu'elle se reposait encore. Surprenant. L'arracher à sa rêverie étant exclu, il en profita pour la dévisager tout son content.

Quels êtres étranges, ces elfes de lune ! Avec leur peau laiteuse, leurs prunelles bleues… Ils ressemblaient aux humains, par certains côtés.

Songeur, Renard-de-Feu redescendit.

CHAPITRE XIV

Hhune tournait dans sa chambre comme un lion en cage, cruellement conscient d'amuser le chef des mercenaires. Quel insolent, celui-là ! Il était grand temps de lui rabattre son caquet !

— Vous comprenez ce que vous avez fait, j'espère ? L'argent que votre échec me coûtera a de quoi donner le vertige !

Bunlap ne s'en émut pas.

— Vous avez votre flotte de guerre personnelle.

— Votre tâche ne consistait pas à provoquer un conflit, mais à protéger les forestiers !

— Et c'est précisément ce que j'ai fait. Croyezvous qu'une seule bande d'elfes hante la forêt du Téthyr ? Nous avons soumis la tribu Suldusk, mais nous ne voulions pas que d'autres clans l'apprennent et se soulèvent, au Nord et à l'Ouest. Quoi de plus efficace, pour les écarter de nos affaires, que de leur donner du fil à retordre ?

— Notre plan, en théorie voué au succès, capote déjà ! Vous avez soulevé trop de problèmes. Maintenant, la guerre qui est sur le point d'éclater a la priorité sur tout. Et si le pacha envoyait son armée dans la forêt ? Si mes activités annexes venaient à être découvertes ?

— La forêt n'est pas encore déboisée… Une armée

d'invasion n'est pas près de remarquer la disparition de quelques arbres… Du reste, la belle affaire ! A supposer qu'on découvre le déboisement sauvage, qui fera le rapport avec vos entreprises ?

— Plus question de prendre des risques. Fermez sur-le-champ la forteresse-scierie.

— Et les elfes ?

Hhune haussa les épaules.

— Quoi, les elfes ? Qu'ils retournent se fondre dans leurs chères ombres, pour ce que je m'en soucie ! J'ai gagné un précieux répit auprès du Conseil. Bientôt, ces troubles cesseront et on passera à d'autres problèmes. Entendu ?

— L'ennui, c'est que certaines choses, une fois mises en branle, ne s'arrêtent pas comme ça… Au nord de Port Kir, les fermiers vivent dans la peur d'une attaque. A Mosstone, le commerce est en chute libre. Seuls les mercenaires se frottent les mains… D'ailleurs, vous projetez de partir au nord avec une escorte nettement plus fournie que d'habitude, si je ne m'abuse.

— Je ne dérogerai pas à mes habitudes. Et je n'éluderai pas mes responsabilités envers la guilde. Les foires aquafondiennes sont vitales pour nos affaires.

— Ah, oui… Le commerce. Je détesterais vous voir perdre votre position… Surtout si la raison de la vengeance des elfes – les atrocités que vous avez jadis perpétrées contre eux – venait à s'ébruiter.

— A votre place, j'y réfléchirais à deux fois avant de jouer les maîtres chanteurs. Vous êtes aussi impliqué que moi, sinon plus.

— Alors pourquoi ne pas développer notre profitable association ? Je transformerai la forteresse-scierie en deuxième base d'opérations. Mes hommes s'occuperont des elfes à leur façon. Ensuite, vos tracas seront finis. La vie au Téthyr redeviendra normale, avec son lot habituel de bandits de grands chemins et de hobereaux avides d'argent. Le calme rétabli, j'aurai réglé quelques comptes et vous en tirerez tout le bénéfice politique. Avec des explications satisfaisantes en prime.

— Si vous espérez vaincre les elfes sur leur terrain, vous êtes fou à lier ! explosa Hhune. Le mieux qu'on ait réussi contre eux, c'est de les repousser dans les profondeurs des bois.

— Je sais. Leur extermination est une douce vue de l'esprit… Mais je suis résolu à jouer mon rôle, aussi modeste fût-il. Et franchement, qui verra la différence, à part vous, moi et les rares elfes qui survivront ?

Hhune réfléchit. Sans être l'idéal, ce serait un compromis valable. Et ce ne serait pas la première fois qu'il se résoudrait à des alliances douteuses. Ni la dernière.

Au sortir de la guerre civile, des lois sévères avaient limité le port d'armes, qu'on fût un particulier, une guilde ou une confrérie. La flotte de guerre qu'avait levée Hhune pour protéger ses vaisseaux des pirates était frappée du sceau de l'illégalité. Jugeant ces lois iniques, il les avait contournées. Mais au sein de sa propre guilde, beaucoup l'auraient trahi sans vergogne auprès des autorités pour grimper dans la hiérarchie. Hhune avait plus d'un sujet d'inquiétude… Les bénéfices engrangés par les guildes faisant l'objet d'une stricte surveillance, il s'était avisé d'une chose : pour financer sa flotte de guerre à l'insu de tous, il lui suffirait d'exploiter les arbres du royaume elfique…

De mémoire d'homme, abattre les arbres des elfes avait toujours été strictement interdit. Mais Hhune avait monté l'opération avec moins de difficultés que prévu. Les bûcherons étaient venus de Vilhon, à l'est.

Tout s'était admirablement déroulé… jusqu'à ce que les tribus elfiques orientales montent à l'attaque.

Alors, Hhune avait engagé Bunlap. Un partenaire précieux… Le capitaine disposait de sa propre petite armée, ainsi que d'un réseau d'informateurs aussi efficace que celui des Chevaliers du Bouclier. Les troncs débités filaient le long du fleuve, avant d'être hissés dans des chariots et exportés. Des faux établissaient qu'ils venaient du Sud. Hhune « payait » le bois et en tirait de substantiels bénéfices en le revendant à un chantier naval, à Port Kir. Ensuite, via plusieurs « sociétés écran », il réutilisait les fonds pour financer sa flotte illégale.

Un bon plan… Et jusque-là, tout avait marché comme sur des roulettes. Mais cacher la vérité à la guilde, aux Chevaliers du Bouclier et aux autorités de Zazesspur tenait de plus en plus du numéro d'équilibriste… Bunlap risquait de tout ficher par terre. Mieux valait céder en partie pour sauvegarder l'affaire.

— Faites comme vous voudrez avec les elfes des bois. Leur sort m'indiffère. Peu importe, du moment que les troubles cessent vite.

— Entendu.

Bunlap se leva, sortit et descendit aux écuries.

Ce serait plus facile que ne le pensait ce stupide marchand. Dans le climat délétère du Téthyr, rien n'était plus aisé que de lancer des rumeurs alarmistes… et faire souffler un vent de panique. Alors, le « péril elfique » serait vite oublié. Mêler les Oreilles Pointues au conflit serait un jeu d'enfant. Il suffisait d'en menacer un pour que toute sa communauté prenne les armes ! Les idiots !

Bunlap avait hâte d'entendre le rapport de Vhenlar. Si tout marchait comme prévu, le sorcier d'Halruaa n'aurait pas volé ses émoluments.

Quand le chef mercenaire en aurait fini avec la tribu Suldusk, tous les elfes que comptait le Téthyr afflueraient vers sa nouvelle forteresse, criant vengeance.

Il les y attendrait de pied ferme.

Au cœur des bois, les jours passaient vite, car le travail ne manquait pas.

Si les elfes excellaient au tir à l'arc, l'escrime leur était beaucoup moins connue. L'agilité et la férocité ne remplaçaient pas tout à fait la technique.

Arilyn se piqua d'enseigner l'art de l'épée aux elfes détenteurs d'une lame. Et s'ils tenaient l'arbalète pour une abomination, elle insista néanmoins pour que les artisans en fassent des copies... Au fil des jours, Hautes Futaies acquit un arsenal impressionnant : lances, javelots, dagues, couteaux de lancer...

Rhothomir s'en inquiétait. Les elfes ne pouvaient espérer gagner une guerre ouverte.

— Attaquer massivement les humains n'est pas dans nos usages. Pourquoi le devrions-nous ? Ce serait de la folie !

— Nous ignorons encore combien d'humains nous affronterons, dit Renard-de-Feu. Tu parles comme si nos ennemis étaient tous unis contre nous. C'est loin d'être le cas ! Pour le moins, nous les empêcherons de prendre pied dans la forêt.

Arilyn se gardait de se mêler du débat. Chose paradoxale, ses fervents partisans lui posaient les pires problèmes. Parmi les plus jeunes, beaucoup partageaient sa vision des choses : Aile-de-Faucon et Tamsin étaient le fer de lance du mouvement. Et ça inquiétait plus la Ménestrelle que ça ne la rassurait. Car la haine féroce que ces elfes-là vouaient aux humains n'augurait rien de bon. Bon gré mal gré, la forêt du Téthyr se rétrécissait comme une peau de chagrin devant l'avancée des terres agricoles, des routes et des villes… Au mieux, Arilyn espérait obtenir un répit pendant lequel les elfes apprendraient peut-être à vivre en bonne intelligence avec leurs voisins… En cela, Khelben Arunsun et les Ménestrels n'avaient pas tort. Inutile de chercher à repousser définitivement les humains. Autant vouloir que le temps suspende son vol !

Voir Tamsin et ses fidèles s'enthousiasmer de leur hypothétique croisade anti-humains inquiétait beaucoup Arilyn.

Un jour, Faunalyn, une éclaireuse aux yeux de biche et à la peau aux reflets fauves, revint au rapport, tout excitée.

— Nous avons pisté les fuyards au sud, par-delà la forêt… jusqu'à une grande demeure en bois et en pierre !

— Une forteresse ? demanda Arilyn.

L'éclaireuse acquiesça… puis sursauta quand l'elfe de lune jura.

— Vous connaissez l'endroit ? demanda Renard-de-Feu, la prenant par un bras pour la tirer à l'écart.

— Je suis passée devant il y a peu… Le seigneur des lieux est un mercenaire appelé Bunlap.

— Vous en êtes certaine ?

— Oh, oui ! Je m'étais renseignée avant de traîner par là… Bien sûr, mon souci était de filer sans encombre, pas d'attaquer.

Renard-de-Feu secoua la tête, songeur.

— Attaquer… Serait-ce envisageable, à votre avis ?

La Ménestrelle se passa une main dans les cheveux.

— Laissez-moi réfléchir…

— Quitte à y penser, vous devriez savoir certaines choses. J'ai eu affaire à Bunlap. Il prétend vouloir se venger des torts que les elfes lui auraient infligés. Mais à ce que je sais, il cherche surtout à salir la réputation de notre peuple. Pourquoi, je l'ignore. Quoi qu'il en soit, je lui ai lacéré une joue. Il a des raisons de me haïr. (Il prit une flèche dans son carquois et lui montra les trois lignes stylisées). Je lui ai gravé ma griffe dans la chair…

— Vous n'auriez pas pu me le dire plus tôt ?

— Comment aurais-je pu deviner que vous vous frotteriez à lui ?

— Autre chose que je devrais savoir ?

— Furet a vécu parmi les humains… à la recherche de réponses.

Arilyn hocha la tête.

— Je lui parlerai… Quoi d'autre ?

— La tribu s'est pliée de bonne grâce à l'entraînement aux armes. Elle s'est constituée son propre arsenal. Mais de là à vous suivre dans une bataille rangée… Vous savez que ce n'est pas notre style de combat.

— Pourtant, c'est arrivé dans l'histoire… J'ai besoin de m'isoler pour réfléchir. Où pourrais-je me retirer ? C'est important !

— Si vous le souhaitez, je monterai la garde au pied de votre logis, répondit Renard-de-Feu, quelque peu décontenancé.

Arilyn regagna son arbre et remonta l'échelle derrière elle. Une fois seule, elle dégaina sa lame de lune.

— Viens…

Son double magique apparut.

— *Que cherches-tu à faire, ou à défaire ?* demanda l'ombre de l'elfe sur un ton plein de reproche.

— A t'appeler aux armes ! (Comme si *elle* pouvait l'ignorer !) En fait, j'aurai besoin de *vous tous*. L'ensemble de mes prédécesseurs… Est-ce possible ?

— *Il y a un précédent…*

— Bien ! Il me faudra m'infiltrer dans la forteresse. A nous dix, nous devrions réussir à ouvrir ses portes.

— *Pas sans risques… Invoquer les ombres elfiques exige beaucoup de la guerrière qui manie l'épée. Zoastria elle-même dut renoncer à ce genre d'exploits.*

— Zoastria et Soora Thea… Serait-ce une seule et même personne ?

— *Je l'ignore. Voudrais-tu lui parler ?*

Arilyn inspira à fond. L'heure de vérité approchait… Elle redoutait cet instant depuis qu'elle avait appris le secret de la lame de lune. Converser avec l'esprit d'une ancêtre… ! Et dire que sa propre mère survivait dans l'épée ensorcelée !

Comment réagirait Z'beryl si elle lisait dans le cœur de sa fille ? Une fille résolue à échapper par tous les moyens à sa destinée ? Arilyn ne l'avait encore jamais déçue…

Elle devait affronter Zoastria.

— *Attention*, dit l'ombre de l'elfe. *Invoquer les autres diminue le pouvoir de l'épée.*

La Ménestrelle leva son arme.

— Viens à moi, toi qui fus Zoastria !

Quand une silhouette apparut, Arilyn eut l'impression que son cœur se transformait en pierre…

La gisante du cercueil en verre ! Celle qui hantait ses rêves !

Mais ce spectre-là avait beaucoup moins de « substance » que le double magique d'Arilyn. On était loin de personnages héroïques en chair et en os qui conduiraient les elfes des bois à la victoire…

— *Que veux-tu, demi-elfe ? Et comment se fait-il que tu aies notre lame de lune ?*

Arilyn se hérissa, bombant le torse. Pas question que sa propre aïeule l'écrase de son mépris !

— Etais-tu aussi connue sous le nom de Soora Thea ?

— *Jadis, les elfes des bois m'appelaient ainsi.*

— Leurs descendants ont désespérément besoin d'héroïnes comme toi pour les mener à la victoire.

Zoastria secoua la tête.

— *Tu en sais si peu sur ta propre épée, mon enfant ? J'apparaîtrai seulement comme tu me vois. De tous les pouvoirs de la lame de lune, celui des ombres elfiques est le plus faible. Tu devrais le savoir !*

Rouge de honte, Arilyn baissa les yeux.

— Pourquoi êtes-vous différente des autres ?

— *Parce que je ne suis pas morte. J'ai juré de revenir un jour... Tu dois au moins connaître les légendes à ce sujet.*

La Ménestrelle hocha la tête. On racontait ce genre d'histoires des Sélénæ jusqu'à Rashemen. Mais elle comprenait maintenant pourquoi toutes avaient en commun une antique épée magique.

— *Pour que j'honore mon serment*, continua Zoastria, *l'ombre de l'elfe et la guerrière doivent redevenir une seule personne. A condition que tu me délivres du palais où je gis... Unis-nous et je reviendrai à la vie !*

— Est-ce votre volonté ?

— *C'est mon devoir ! A ton appel, je viendrai.*

Le spectre se dissipa, emportant avec lui le double magique d'Arilyn, qui rengaina son arme.

Elle était bien avancée !

Il lui faudrait trouver une autre solution...

Hasheth partit à pied vers les docks de Port Kir. Un coin malfamé... Mais n'avait-il pas côtoyé les assassins de Zazesspur ? Il en avait assez appris pour mériter sa ceinture jaune. Et il savait lancer le couteau.

Sous les planches disjointes des passerelles luisaient les eaux noires de la baie du Dragon. Dans les entrepôts, on traitait les poissons pêchés du jour avant leur mise en vente sur les marchés.

Hasheth hâta le pas. Au bout de la jetée se trouvait le chantier naval Berringer. Après des jours à éplucher les livres de comptes de son maître, le jeune prince avait déduit que tout se jouait là… Le puzzle aboutissait à Berringer. Restait à cerner les objectifs de Hhune… et à les retourner à son avantage !

Le chantier naval grouillait d'ouvriers et de contremaîtres en pleine activité… Grâce à un faux laissez-passer, Hasheth put y pénétrer.

Il y déambula à son aise, prenant mentalement note de tout. Les bois déchargés par les dockers étaient stockés selon leur essence avant d'être mis en forme en fonction de leur destination. Les charpentiers ne chômaient guère. Partout on entendait les bruits de maillets, les cordes des grues ou des cabestans qui grinçaient et protestaient sous les charges. Trois navires semblaient prêts pour leur lancement, un quatrième n'en étant qu'à l'état d'ébauche avec sa quille et quelques couples.

A toutes les étapes, la qualité du travail correspondait aux critères élevés des artisans du Téthyr. Avec leurs lignes épurées, les bateaux promettaient de fendre les flots. La carène, l'accastillage, la mâture, la voilure, l'armement… Tout était absolument sans reproche.

Les trois navires prêts à la livraison bénéficieraient d'un arsenal impressionnant : des balistes, des catapultes, avec quantité de grosses flèches à pointe d'acier et de boulets ramés.

Une flotte de guerre privée ! Capable de tenir les pirates en respect ou d'établir un blocus…

Décidément, Hhune ne manquait pas de ressources et d'ingéniosité. Dommage qu'un de ces vaisseaux doive être sacrifié… Mais qui voulait la fin voulait les moyens.

Après sa mission d'espionnage, Hasheth descendit dans une auberge, se changea, se gomina les cheveux et se colla de fausses moustaches. Il s'enroula des bandes de tissu à la taille pour simuler l'embonpoint de ce lèche-bottes d'Achnib et se gonfla les joues avec de la résine. Ensuite, il retourna du côté des docks, gagnant une auberge particulièrement malfamée baptisée *La Course*. La baie du Dragon était protégée par une jetée sur toute sa longueur. La gargote se dressait à un bout. Les pirates nélanthères assez audacieux pour accoster venaient s'y rincer la glotte.

Le cadre idéal…

Hasheth s'installa dans un coin enfumé, près de durs à cuire.

Quand une serveuse vint prendre sa commande, il imita la voix d'Achnib :

— Du vin, s'il vous plaît… J'aurais aussi besoin de gagner Lantan, si ça peut être arrangé… ?

A la table voisine, Les boucaniers échangèrent un regard. L'un d'eux lança :

— Ça peut s'arranger, mon gars !

— A partir de Zazesspur ? chuchota le jeune prince en se penchant vers lui. Je serais votre obligé !

— Facile ! ricana l'autre. Pourquoi pas d'Eternelle Rencontre, pendant que vous y êtes ?

— Des affaires pressantes…, gémit Hasheth. Je devrai les régler sous une quinzaine ! Est-ce envisageable ?

— Peut-être… Mais ça vous coûtera gros, l'ami !

— Mes informations vous dédommageront de vos peines, croyez-moi. Dites-moi quelles cargaisons vous voulez et je vous indiquerai les noms des vaisseaux, leurs itinéraires et la force de leurs équipages. Et je vous aiderai à infiltrer vos propres hommes à bord des navires d'escorte…

Dubitatif, le premier pirate se cura les dents avec l'ongle de son index droit.

— Comment en savez-vous si long ? A supposer que vos tuyaux soient fiables ?

Hasheth tira de son escarcelle un bout de parchemin et un crayon, griffonna quelque chose et le tendit à ses interlocuteurs.

Qui éclatèrent de rire.

— Vous nous prenez pour des prêtres ? Qui apprend à lire à part eux et les scribes aux fesses élargies ?

Néanmoins, comme Hasheth l'avait espéré, le pirate barbu prit le morceau de parchemin et l'empocha.

— Je m'appelle Achnib, fit-il, drapé dans sa dignité, et je suis le premier scribe du seigneur Hhune de Zazesspur.

Impressionné, le pirate barbu grommela :

— Pourquoi ce délai de quinze jours ?

— Mon maître est toujours en affaires. Il vaut mieux que je sois à mon poste avant son retour…

Les pirates gloussèrent.

— Entendu. Lantan est un bon endroit pour stocker ses… avoirs. Et pour peu que vous vous intéressiez au trafic d'armes, vous n'aurez pas fini d'engranger les bénéfices !

— J'ai besoin d'une place à bord d'un vaisseau, pas de conseils sur mes investissements, répliqua Hasheth en se levant. Faisons-nous affaire ou devrai-je m'adresser ailleurs ?

— Tout doux, l'ami ! cria le pirate barbu. Vous

voulez aller à Lantan ? Dites-nous ce que vous savez.
Si ça vaut le coup, nous vous y emmènerons.

Les détails réglés, Hasheth retourna à l'auberge se
débarrasser de son déguisement.

Cette nuit-là et le jour suivant, Arilyn repensa sans
cesse à son étrange entretien avec les résidents
magiques de la lame de lune. Elle ne voyait pas de
solution évidente… Par bonheur, la sérénité de Hautes
Futaies agissait comme un baume sur son esprit tour-
menté. Et le solstice d'été arrivait. Les elfes mène-
raient grande liesse à cette occasion ! Les créatures
magiques des bois se joindraient à la fête : les faunes à
la douce fourrure, les joyeux satyres, les centaures
dignes et graves, les pixies… En ces heures magiques,
tout semblait possible…

On distillait un vin aromatisé aux essences de fleurs
et aux fruits… Un des meilleurs crus elfiques selon
Arilyn.

Au milieu des festivités, on récitait des prières et on
chantait. Les elfes vénéraient la Seldarine, et surtout
le dieu de la forêt. On rendait également hommage
aux autres divinités.

Les musiciens entraient ensuite en scène et les
joueurs de flûte, de clochettes et de tambourin s'en
donnaient à cœur joie.

N'étant pas particulièrement douée pour la danse,
Arilyn avait du mal à comprendre la fascination des
elfes pour la chorégraphie. Mais sur l'insistance
d'Aile-de-Faucon, elle avait revêtu une ravissante
robe verte, laissant ses jambes et ses épaules nues. Et
elle avait piqueté sa chevelure de petites fleurs
blanches. Tous les elfes étaient vêtus de la même
façon. Les peaux, les ornements d'os ou de plumes
avaient disparu. En cette nuit de grâce, on échangeait

de menus cadeaux : surtout des fruits et des fleurs, plus rarement des gemmes. Arilyn avait donné une émeraude à Aile-de-Faucon, ravie de l'en voir si enchantée.

Quand commença la dernière danse en l'honneur du solstice, la Ménestrelle, entraînée par sa jeune amie, s'abandonna à l'insouciance générale... C'était l'époque des flirts et des mariages, de l'amour et du bonheur. Les enfants qui naissaient cette nuit-là étaient considérés comme bénis des dieux. Des couples se formaient, pour la nuit ou pour la vie.

Arilyn aurait voulu que cette merveilleuse communion ne finisse jamais...

On lui tapota l'épaule ; elle fit volte-face... et se retrouva dans les bras de Renard-de-Feu. Il n'eut rien besoin de dire. Son regard était assez éloquent.

La jeune femme se raidit et voulut s'écarter. Une main posée au creux de ses reins, Renard-de-Feu la retint.

— La nuit est courte...

Une invitation traditionnelle et sans ambiguïté. Un honneur aussi, dans la mesure où les couples formés cette nuit-là étaient censés entrer en communion avec la Terre Mère.

Arilyn n'aurait jamais rêvé être ainsi acceptée dans le monde des elfes. Une tentation irrésistible pour une guerrière solitaire...

Pour la première fois de sa vie, elle ne se déroba pas.

— La nuit est courte, répéta-t-elle.

L'air sombre, Korrigash et Furet les virent s'éclipser.

— Ce n'est pas bienséant... N'es-tu pas promise à notre chef ?

— Depuis longtemps… Et après ? Tant que ces deux-là gagneront les batailles, je me moque du reste.

— Mais Renard-de-Feu est mon ami. Sa conduite me semble dangereuse.

— Dans quelle mesure ?

Furet continuait d'observer Arilyn d'un œil d'aigle. Se trahirait-elle ? Chercherait-elle un jour à poignarder Renard-de-Feu dans le dos ?

— Au solstice d'été, les liens qui se forment sont particuliers. Les nôtres ne verront pas d'un bon œil que leur chef s'entiche d'une elfe de lune.

— Au pire, tu remplaceras Renard-de-Feu à la tête de notre tribu. Nous verrons bien. Allons, viens. La nuit est courte.

— Mais… Tu es sa promise !

— Et alors ? Tu vois bien qu'il est occupé…

Korrigash cessa de protester.

Renard-de-Feu regardait la lune scintiller sur la peau laiteuse de sa maîtresse, endormie entre ses bras. Posant un léger baiser sur ses paupières, il se demanda ce qu'il devrait faire, à présent.

Ses doutes se trouvaient confirmés : Arilyn était à demi humaine. Aucune elfe n'aurait dormi ainsi.

En sa qualité de chef de guerre, Renard-de-Feu devait suivre Rhothomir. Il pouvait s'opposer aux volontés de l'orateur – et il ne s'en privait pas –, mais il le respectait. L'honneur exigeait qu'il lui révèle la vérité au sujet d'Arilyn. Hélas, pour Rhothomir, tous les humains étaient à tuer ! Quant aux hybrides, leur existence même semblait obscène. Sans que la tribu soit menacée, il ordonnerait la mise à mort de l'étrangère.

Le sommeil était-il comparable à la rêverie ? Arilyn

venait de s'assoupir… Renard-de-Feu décida de jouer la comédie, la tirant en douceur de son sommeil.

— Je n'avais jamais compris pourquoi la déesse de la beauté et de l'amour était une elfe de lune… Maintenant, je sais. Il me suffit de te regarder.

Un compliment apparemment banal… Mais Arilyn saisit l'allusion. La déesse Hanali Celanil était la quintessence de l'idéal féminin elfique. Et banal ou pas, Renard-de-Feu n'aurait pu lui tourner plus haut compliment. Il lui témoignait ainsi son adoration…

Jouant le jeu, Arilyn lui passa les bras autour du cou.

La magie du solstice d'été les enveloppa de nouveau.

CHAPITRE XV

Kendel Feuilletonnelle descendit à *La Gorge Sèche*. Il se fraya un chemin dans la salle enfumée et bondée en direction d'un siège miraculeusement inoccupé, devant le comptoir. La bière aigre et le genre de la clientèle n'étaient pas vraiment à son goût. Mais après une longue journée à s'échiner sur les docks de Port Kir, il n'était plus très regardant.

Les serveuses à la langue bien pendue et les rixes continuelles faisaient la réputation de l'auberge. Un petit homme aidait le cuisinier à rôtir un agneau de lait dans la cheminée monumentale, et un demi-orc particulièrement hideux jouait les videurs avec zeste et efficacité. Port Kir était un endroit dangereux. Et Kendel savait qu'il jurait parmi la population locale… Les Téthyriens avaient le teint olivâtre, des yeux noirs et des cheveux châtains ou bruns. Au contraire des marins et des dockers musclés qui se pressaient au coude à coude à *La Gorge Sèche*, Kendel avait une chevelure rousse aux reflets dorés, des yeux bleus et une peau obstinément pâle. Sa minceur et sa petite taille dissimulaient une force bien réelle.

En un mot comme en cent, c'était un elfe.

— Et pour vous, ce sera quoi ? demanda une voix singulièrement rauque et grave.

Interloqué, Kendel se pencha par-dessus le comptoir à la recherche de l'ours mal léché qui venait de l'apostropher. Il découvrit un jeune nain aussi radieux qu'une matinée pluvieuse.

— Un elfe ! Inutile de vous proposer de la bière… Vous allez demander de l'eau pétillante ou un bon verre de lait chaud, je parie !

— Ou pourquoi pas, de l'elverquisst…

Pourquoi diable prenait-on toujours les elfes pour de petites natures, eux qui produisaient les liqueurs les plus fortes et les vins les plus corsés des Royaumes ?

— De l'elverquisst ? Vous m'en direz tant ! Sûr qu'on en a des tonneaux entiers, par ici ! Remarquez… Je ne serais pas fâché si c'était vrai. Ça, c'est une boisson de mâle ! Et j'en aurais fichtrement besoin…

— Vous avez tant de problèmes que ça à noyer dans l'alcool ? compatit Kendel.

— Eh, oui…

— Pourquoi ne pas rapprocher votre tabouret du comptoir ? Vous verriez mieux vos clients.

— Parce que je rêve de voir leurs sales trombines, peut-être ?

Le nain écouta pourtant la suggestion. Puis il servit une chope de bière à l'elfe.

— Voilà votre bibine. C'est la pisse d'âne la moins mauvaise de l'établissement… Quelle manie d'allonger la bière avec de l'eau de mer !

Hochant la tête, Kendel posa sur le comptoir une pièce d'argent que le nain fit prestement disparaître.

Charmé par les piques de son interlocuteur, et faisant taire la voix de la prudence, l'elfe essaya d'en savoir plus. Au Téthyr, on lui témoignait rarement de l'attention…

— Auriez-vous été volé ?

— Volé ? On peut dire ça… Comme vous, j'étais

venu ici un soir me rincer la glotte… (Il eut un sourire nostalgique.) A l'époque, je fréquentais les *Sables Moussants*. Vous connaissez ?

L'elfe acquiesça. La réputation de ces thermes de luxe, où on trouvait de tout au sortir des bains, n'était plus à faire.

— C'était le bon temps…, soupira le nain. Après dix ans d'esclavage, je ne l'avais pas volé ! Hélas, j'ai tout dépensé. A présent, je travaille dans cet infâme bouge en espérant me refaire une santé !

Les temps étaient durs au Téthyr… surtout pour les non-humains. Mais pour qui vivait longtemps, comme les elfes et les nains, la roue de la fortune tournait plus d'une fois. Ainsi, Kendel… Sa propriété confisquée par les autorités, il s'était taillé une nouvelle fortune à la pointe de l'épée. Puis la communauté elfique avait été persécutée… Pendant des années après l'éviction de la monarchie, une ferveur égalitaire avait soufflé sur le pays… Trois ans plus tôt, Kendel était un riche marchand. Maintenant, il avait du mal à trouver un emploi de docker…

Du coin de l'œil, il vit arriver une demi-douzaine de matamores dont la dégaine ne laissait planer aucun doute sur leurs mauvaises intentions. Des fiers-à-bras en quête d'une raison de se battre… Ils vinrent se planter devant l'elfe, qui avait rapproché une main de la dague fixée à sa cuisse gauche.

— Je te connais, mon gaillard ! beugla un des mercenaires, un index pointé sur Kendel. Tu es un de ces elfes des bois qui ont attaqué une ferme au sud de Mosstone !

— Désolé, mais vous vous trompez. Comme vous le voyez, je n'ai rien d'un elfe des bois.

— Ah non ? fit un autre mercenaire. On a pourtant

vu un rouquin parmi ces chiens ! Qui nous dit que ce n'est pas toi ?

— Impossible. Je travaille aux docks et n'ai pas quitté Port Kir depuis des mois ! Beaucoup d'hommes, ici, en attesteront...

Du regard, Kendel chercha le soutien de ses camarades de labeur.

En vain.

Tous baissèrent la tête sur leur chope.

Les soldats, eux, rirent aux éclats.

— Vous entendez ça, les gars ? Avez-vous jamais vu un docker aussi maigrichon ?

Kendel avait souvent vécu ce genre de scènes. Une ferme, un palais, une auberge... Seul le cadre changeait.

Il saisit la garde de sa dague à l'instant où un des fauteurs de troubles, épée tirée, renversait son siège d'un coup de pied. Kendel retomba aussitôt sur ses jambes. La salle bondée jouerait à son avantage...

Au début, il esquiva sans peine les attaques de ses agresseurs, qui manquaient d'espace. Mais les clients, habitués aux rixes, se hâtèrent de faire place nette, repoussant les sièges et les tables.

Soudain, le panneau en bois du comptoir vola en éclats. Tel un bélier vivant, le nain fonça sur les mercenaires. Avec un cri de guerre, il heurta le premier sous la ceinture... Le regard vitreux, l'homme lâcha son épée et s'écroula comme une masse.

Le nain, lui, n'avait rien senti... A Toril, peu de matières rivalisaient avec un crâne de nain, côté résistance. Il recula et fonça dans la salle à la recherche d'une arme. Les clients s'écartèrent avec la célérité de cafards repoussés par la lueur d'une torche... Il rejoignit le cuisinier qui tenait devant la cheminée un plateau où reposait une cuisse d'agneau rôtie. S'emparant d'un torchon qu'il noua autour de sa main, il attrapa la cuisse par l'os et la brandit comme un gourdin avant de la lancer à la tête d'un autre mercenaire qui leva son épée… Le choc propulsa la garde contre son nez. Copieusement éclaboussé, « parfumé au jus de viande », brûlé, aveuglé, le nez cassé et braillant à tue-tête, l'homme chancela.

Avec un autre cri de guerre, le nain attrapa une épée. La tenant à l'horizontale comme une lance, il chargea.

Un premier mercenaire l'évita sans peine.

Celui qui se trouvait derrière lui, l'estomac transpercé, s'écroula.

Pendant ce temps, l'elfe était aux prises avec les autres soldats. Son allié inattendu vint lui prêter main-forte. Il flanqua un coup de poing à l'adversaire de Kendel, le pliant en deux, puis l'agrippa par les cheveux pour mieux lui flanquer un direct… Un autre au tapis…

Il récupéra son épée, la tendant à l'elfe.

Kendel défia son dernier agresseur.

Rengainant sa lame, le mercenaire tourna les talons et déguerpit.

— Courons-lui après ! beugla le nain en s'élançant à sa poursuite.

Kendel hésita à peine avant de l'imiter. Par les temps qui couraient, pour un elfe, tirer l'épée ou la dague contre des humains était préjudiciable pour la santé… Où qu'aille son allié providentiel, ce serait toujours mieux que de rester à Port Kir.

Il retrouva le nain dans la cour, perché sur la bedaine du mercenaire. Kendel plaqua sa lame contre la gorge du malandrin, histoire qu'il se tienne tranquille.

— Ce n'est pas trop tôt ! grommela le nain. Celui-là gigote plus qu'un canasson piqué par des abeilles ! Debout, mon gaillard ! Et prends cette rue, par là…

On sera juste derrière toi. Si tu fais mine de nous fausser compagnie ou si tu appelles à l'aide, je te larde le dos de coups de dague !

— Que comptes-tu faire de lui ? demanda l'elfe.

— A la vérité, tout ce qui se passe depuis quelque temps me fatigue. Je retournerai dans mes chères montagnes, mais avant, nous ramènerons ce têtard dans sa mare puante. Je veux voir la bouille de son employeur.

— Pourquoi ? demanda Kendel.

— Comme je l'ai dit, j'ai été esclave pendant dix ans. Et ça ne m'a pas plu du tout ! La servitude me donne de l'urticaire… Même pour les autres ! Les mercenaires louent cher leurs services. Je veux savoir ce que tout ça cache…

Kendel le regarda avec un respect nouveau. Les nains s'inquiétaient rarement du sort des autres espèces.

— Je m'appelle Kendel Feuilletonnelle.

— Et moi, Jill, du nom de ma mère, répondit son ami, le défiant de trouver à y redire.

— Ah… En elfique, ça signifie « intrépide guerrier », mentit Kendel.

— Ma mère était combative ! Dans mon clan, on transmet indifféremment ce nom aux filles ou aux garçons. Chose bizarre, tout guerrier qui le porte semble se battre mieux que les autres.

— Sans doute parce que vous avez plus d'occasions de prendre la mouche ! lança l'elfe sans réfléchir.

A sa surprise, loin de s'offusquer, son petit compagnon éclata de rire.

— Tu l'as dit !

Les nouveaux amis échangèrent un sourire complice. Puis ils partirent d'un bon pas en direction de l'est.

A la recherche de réponses à leurs questions…

CHAPITRE XVI

Après son entretien avec Hhune, Bunlap retourna dans sa forteresse avec de nouvelles recrues, la tête bouillonnant d'idées. Un prêtre de Loviatar, fasciné par le concept de souffrance, s'était joint à l'aventure. Il interrogerait les elfes tués que Vhenlar et ses hommes ramèneraient.

Bientôt, ils frapperaient à mort les Oreilles Pointues.

Mais de mauvaises nouvelles attendaient le capitaine. De sa dernière compagnie envoyée dans la forêt, peu de membres étaient revenus. Le sorcier d'Halruaa, alité, souffrait de maux indéfinissables. Et Vhenlar n'avait pas ramené un seul cadavre ennemi.

— C'était déguerpir ou les rejoindre dans la mort ! se justifia-t-il. De toute façon, qu'avons-nous à y gagner, maintenant ? L'opération est terminée. Vous avez votre argent. Que voulez-vous de plus ?

— C'est une affaire personnelle...

— Encore ! s'insurgea Vhenlar. Si jouer avec le feu vous amuse à ce point, moi, je n'ai pas passé quatre ans à échapper aux Zhentilars pour fuir des elfes vengeurs le reste de ma vie ! J'en ai ma claque. Versez-moi ce que vous me devez, et adieu !

Le capitaine secoua la tête.

— Encore trois batailles. Ensuite, tout sera fini. D'abord, une simple escarmouche. Puis on passera à la scierie. Le vieux Hhune nous a largement graissé la patte pour ça. Ce site stratégique sera nôtre. Quand les choses se seront calmées, nous pourrons même continuer nos petites affaires sans avoir à partager… Vous pourriez vous enrichir au-delà de toute espérance.

— Pas question que je retourne dans cette forêt !

— Inutile. Cette fois, vous resterez derrière les meurtrières ou les créneaux pour arroser à votre aise les assaillants. Vous n'aurez pas à quitter la forteresse.

— Comment ça ?

— Les elfes viendront à nous.

— Et pourquoi ?

— Vous connaissez les Ménestrels ?

Vhenlar grogna.

La confrérie secrète avait pour but de contrarier le Zhentarim et de damer le pion à ses membres.

— Ils sont mêlés à cette pagaille ?

— Eh, oui. Une chance que je sois retourné à Zazesspur… J'en ai appris, des choses ! Un Ménestrel aurait saboté sa couverture et réussi à fuir une horde d'assassins lancée à ses trousses. L'elfe qui a si bien trompé nos défenses avec son écran de fumée, serait un de leurs meilleurs agents… Arilyn Lamelune… Ce nom ne vous dit rien ?

— Celle qui a réussi à s'introduire dans la forteresse de Garde Noire et à tuer le vieux Cherbil Nimmt ?

— Celle-là même ! Elle sait qui je suis et si elle contacte les elfes des bois, ils comprendront que la source de leurs problèmes est notre forteresse.

— Il n'y a pas de « si ». Une elfe grise avec une épée magique ? Elle était au milieu de nos ennemis, les menant au combat et à la victoire ! Si elle ne les avait retenus, nous y serions tous passés.

— Soyez certain que leurs éclaireurs vous ont suivi

jusqu'ici. Ils reviendront bientôt en force. Là, vous entrerez en scène. Abattez l'elfe de lune et vous serez libéré de toutes vos obligations !

Le lieutenant hocha la tête, guère convaincu. Après s'être mesuré à la guerrière et aux elfes des bois, il n'était pas pressé de retenter l'expérience.

Mais avait-il le choix ? Tant que Bunlap n'aurait pas assouvi sa soif de vengeance…

Autrement dit, il mourrait avant d'être « libéré de ses obligations ».

Quelques jours après le solstice d'été, Arilyn partit seule dans la forêt, le sifflet des *Lythari* dans une main. Une fois assez éloignée de Hautes Futaies, elle siffla longuement. Puis elle s'assit sur une souche.

Ysengrin répondrait-il encore à son appel ? Rien n'était moins sûr. L'apparente incompréhension de son amie avait dû le blesser. En suggérant une impossibilité à Rhothomir – que les *Lythari* prennent fait et cause pour les elfes des bois et se joignent à la bataille –, elle avait seulement cherché à gagner du temps. Mais comment se justifier ?

— Arilyn…

Elle fit volte-face… et découvrit son ami.

— J'ai appris une drôle de légende, dit-elle de but en blanc. Les elfes des bois vénèrent une guerrière qui aurait sauvé leur tribu il y a des siècles. Et il s'agit de mon aïeule : Zoastria, alias Soora Thea. Elle commandait les Ombres d'Argent. Vos deux peuples s'allièrent-ils jadis ?

— Oui, dit Ysengrin. Mais en ces temps obscurs, le péril était grand… La forêt même était menacée. Des abominations mortes-vivantes, des créatures originaires des plans maléfiques et leurs orcs massacraient nos ancêtres pour le plaisir… Ces êtres étaient un véritable ulcère pour notre Mère la Terre. Dans ces conditions, les *Lythari* se sont joints à la bataille.

— Les humains que nous affrontons aujourd'hui n'ont rien de très amical non plus…

— Ils sont intelligents et tous ne sont pas foncièrement mauvais. Alors, les attaquer en masse ? Comment distinguer les bons des mauvais ?

— Parfois, épargner les innocents devient impossible. En un sens, je suis soulagée de posséder une épée ensorcelée capable de juger mes adversaires à ma place. Ainsi, elle m'empêche de tuer un juste. Les autres guerriers n'ont pas cet avantage. Mais si vous refusez le combat, peut-être accepteriez-vous de jouer les éclaireurs ? ajouta-t-elle, prise d'une inspiration subite. De nous prévenir des dangers ?

— Ce ne serait pas grand-chose… mais mieux que rien. Entendu.

— Au contraire, ce sera une aide précieuse !

— Comme nous, tu arpentes deux mondes distincts… Les autres ne comprennent pas.

— Parfois, je ne me comprends pas moi-même, avoua Arilyn.

— Avec le temps, ça changera… L'heure venue, mon amie, je t'emmènerai vers ton destin.

Perplexe, la Ménestrelle ne le pressa pourtant pas de questions. Sans l'engagement des Ombres d'Argent, les elfes des bois accepteraient-ils de quitter leur chère forêt ? Rien n'était moins sûr. Bunlap et ses séides continueraient leurs atrocités…

Confronté à la réalité, l'objectif initial des Ménestrels – composer avec les Téthyriens –, était une pure vue de l'esprit. Que dirait Khelben Arunsun s'il apprenait qu'il avait demandé à Arilyn de collaborer avec un ancien Zhentilar ? Il s'arracherait les cheveux ! Dévoué à ses dieux maléfiques, le Zhentarim s'opposait souvent aux elfes. Arilyn connaissait assez Bunlap et ceux de son acabit pour subodorer que ce conflit n'était pas le fruit d'un malentendu… Il s'agissait d'une vengeance.

Et la communauté de Hautes Futaies n'était déjà plus que l'ombre d'elle-même.

Parler de l'offre de la reine Amlaruil devenait tout indiqué. Même si elle ne serait sans doute pas acceptée. Les elfes étaient particulièrement attachés à leur terre. Aussi enracinés que leurs arbres chéris… Mais Arilyn devrait bientôt leur présenter cette option. Ils étaient trop peu nombreux pour espérer l'emporter.

Où se trouvaient les autres tribus ? La forêt était immense ! Et les Elmanesse arrivaient à peine… Des clans vivaient là depuis des siècles. Ils accepteraient sans doute de faire front contre les Oreilles Rondes. C'était la clé du succès… Contacter les autres communautés…

La Ménestrelle retourna à Hautes Futaies en parler à Renard-de-Feu. A sa surprise, il ne partagea pas son enthousiasme.

— Oui, la forêt compte beaucoup de tribus et de clans, admit-il. Mais nombre de communautés elmanesse furent exterminées. Celles qui subsistent sont trop amoindries et éloignées de nous pour être d'un grand secours. L'une vit sur la péninsule et d'autres se sont installées au Sud-Est de Plaque Tournante. Elles ont beaucoup trop de liens avec les marchands et les fermiers humains pour prendre les armes contre eux.

— Mais combien sont-ils ?

— Peut-être deux cents au Nord et dans les villes, surtout des elfes de lune et des elfes dorés… ainsi qu'un petit nombre d'hybrides. Sans parler des druides et de quelques hors-la-loi.

— Et la tribu Suldusk ?

— Tu en sais beaucoup, je vois, sur l'histoire du Téthyr... Le fleuve qui alimente le royaume porte le nom de cette communauté. Mais peu de gens savent qu'elle existe. Les Suldusk sont très réservés et secrets de nature. Nous ne savons plus où les trouver.

Arilyn leva les bras au ciel.

— Super ! Alors nous restons les bras croisés et laissons Bunlap et ses hommes continuer à tailler dans nos rangs ?

— Les humains n'ont-ils pas des lois ?

— Et pas toute latitude pour les appliquer ! A mon sens, mieux vaut vaincre Bunlap par nos propres moyens. Je devrais arriver à distraire ses séides jusqu'à ce que nous trouvions une solution.

Renard-de-Feu la regarda hocher la tête avec détermination, se lever d'un bond et s'éloigner d'un pas alerte. A de tels moments, elle lui semblait extraordinairement étrangère : aussi impétueuse et impatiente que les humains.

Il décida que c'était sans importance.

Il se leva et la rejoignit.

— Dis-moi ce qu'il te faut et je veillerai à ce que tu l'aies.

Elle sourit.

— De belles peaux, pour commencer. Et de la nourriture séchée. Moins de temps je passerai à chasser, plus vite j'arriverai à destination.

— Tu ne partiras pas seule. Furet et moi t'accompagnerons.

Arilyn hésita, puis acquiesça.

Aile-de-Faucon se joignit aussi à l'aventure. Le troisième jour, à midi, ils atteignirent l'orée des bois.

Arilyn et ses compagnons suivirent un cours d'eau en direction du sud, jusqu'à ce qu'il vienne gonfler un bras du Sulduskoon. Ils continuèrent pendant plusieurs heures avant que la Ménestrelle ne suggère une pause.

— Vous voyez ce tertre, là-bas ? On l'a creusé pour l'habiter. Vous voyez cette cheminée déguisée et ces portes latérales ?

Déconcertés, les elfes hochèrent la tête. Hors de la forêt, Arilyn distinguait mieux qu'eux ce genre de détails.

— C'est un avant-poste de la forteresse, révéla-t-elle. Les hommes qui l'occupent contrôlent le trafic fluvial. Ils sont trop nombreux pour que nous puissions les affronter, et ils ont l'avantage des armes. Commençons par construire un radeau.

Furet et Aile-de-Faucon se mirent au travail.

La Ménestrelle demanda ensuite à Renard-de-Feu de lui passer les peaux de bêtes qu'elle saupoudra d'une fine poudre brune avant de les ficeler.

— Je poserai ce paquet au milieu du radeau et je descendrai seule le fleuve. Etant une elfe de lune, je ressemble le plus à une humaine. Les guetteurs me prendront d'abord pour un trappeur essayant de se faufiler en douce… Et ils exigeront quelques-unes de ces peaux comme droit de passage… S'ils ne prennent pas tout de force en me tirant dessus ! Quoi qu'il advienne, n'intervenez à aucun prix. Dès que possible, je sauterai à l'eau et m'éloignerai à la nage. Quand les mercenaires s'empareront de ce paquet, ils auront une mauvaise surprise ! L'explosion soufflera le sommet du tertre.

— L'explosion ? répéta Aile-de-Faucon.

— Un coup de tonnerre, si tu préfères…, expliqua Furet. J'ignorais que tu pouvais lancer ce genre de sorts, Arilyn !

— Il ne s'agit pas de magie, même si les résultats

186

sont similaires. Mon associé adore les déflagrations… En la matière, il n'est jamais à court d'idées !

— C'est comme lancer une torche dans les vapeurs qui montent des marécages ? demanda Renard-de-Feu.

— Exactement ! Après l'explosion, nous ranimerons certains survivants. Puis nous leur soutirerons les mots de passe, de façon à nous approcher le plus possible de la forteresse, Furet et moi.

La demi-elfe ôta sa cotte de mailles, sa cape et ses bottes, les cachant sous un buisson. Elle se passa une crème sur le visage, histoire de le noircir, ramena ses cheveux sur ses oreilles, les nouant en queue-de-cheval, et se coiffant d'un bonnet bordé de fourrure, remonta ses braies au-dessus des genoux, posa une main sur la garde de sa lame de lune… et fut transformée selon ses souhaits en un jeune homme dégingandé.

Un des prédécesseurs d'Arilyn avait conféré à l'épée la possibilité d'altérer subtilement les perceptions. La Ménestrelle avait appris à se servir de cette magie pour créer des personnages : un adolescent, un courtisan, une prêtresse… Pour les elfes des bois, la transformation était incroyable.

Arilyn leur conseilla de se dissimuler dans les broussailles et de la suivre discrètement. Puis elle mit son radeau à l'eau.

Elle arrivait à hauteur du tertre quand on lui décocha une première flèche… qui la manqua. Tablant sur la mauvaise visibilité des archers, elle feignit d'être blessée et tomba dans la rivière avec un grand cri.

Accrochée aux rochers, au fond de l'eau, elle entendit les jurons des mercenaires, qui ne trouvaient plus trace du trappeur. Puis elle les vit s'emparer du radeau et des fourrures.

Trop tard, elle s'avisa qu'elle aurait dû avertir ses compagnons au sujet de l'amulette qui lui permettait de respirer sous l'eau… Quand elle entendit Aile-de-Faucon pousser un cri de guerre, elle remonta à la surface du fleuve, gagna la rive à la nage et dégaina sa lame de lune.

La situation n'était guère réjouissante… Une trentaine de soldats sortaient de leur repaire. Quatre contre trente !

Arilyn blessa au flanc un premier mercenaire, se servant de lui comme d'un bouclier pour éviter la charge d'un deuxième… avant de lui sectionner la moelle épinière. En garde, elle fit volte-face pour affronter un troisième homme à la lenteur calculée. Sans doute un fils de noble qui comptait s'amuser aux dépens du bouseux se dressant devant lui…

Un idiot, en somme.

Soupirant, Arilyn para le premier coup… Feignant de tomber, elle surprit son adversaire en se relevant d'un bond, épée dressée…

L'idiot mourut, décapité.

D'un même élan ou presque, elle plongea sa lame dans la gorge d'un autre homme. Puis elle jeta un coup d'œil à ses compagnons.

Ils étaient en mauvaise posture…

Aile-de-Faucon gisait dans l'herbe, Furet était cernée et Renard-de-Feu, accablé par le nombre de ses adversaires… D'autant qu'il avait pour seule arme une dague en os !

A cet instant, un coup brisa la dague en deux. Toujours vif, Renard-de-Feu s'écarta d'un bond. Mais les humains le cernaient… Ils allaient le hacher menu !

Arilyn brandit sa lame et cria :

— *Venez tous à moi !*

Des volutes de brume s'échappèrent de l'arme

ensorcelée. A cette vue, tous se figèrent… et virent apparaître des guerriers elfiques tous armés d'une épée similaire à la lame de lune.

Zoastria, menue et presque dénuée de substance… d'autant plus terrifiante !

Un sorcier aux longs cheveux blancs tressés, sa lame de lune émettant une lueur aussi bleue que son regard ou que les étincelles qui dansaient sur ses doigts…

… Un guerrier fluet qui maniait son épée avec la dextérité et la rapidité confondantes du célèbre Phénix Fleur de Lune, comme le proclamaient les armes de son tabard : un oiseau au ramage vif émergeant des flammes…

… Un autre guerrier roux à l'arme rougeoyante décrivant des arabesques fascinantes dans les airs… Xénophor, celui qui avait immunisé la lame de lune contre le feu…

… Une elfe qui semblait étonnamment achromatique, la peau comme translucide… Seuls ses yeux et ses cheveux étaient infiniment noirs…

… Et Z'beryl… Aussi belle que dans le souvenir d'Arilyn, avec sa peau laiteuse, ses yeux bleus piquetés d'or, son visage auréolé d'une chevelure couleur saphir… Mais ce n'était plus tant Z'beryl d'Evereska qu'Amnestria, la fille de Zaor et d'Amlaruil ! La princesse de sang, la sorcière de bataille, la guerrière…

S'arrachant à sa fascination, Arilyn alla aider son propre double, aux prises avec un colosse. Elle n'en fit qu'une bouchée…

A la vue de ces nobles guerriers surgis du passé, la Ménestrelle se sentait accablée par la honte. Sa propre mère s'était sacrifiée sans sourciller… Une demi-elfe, serait-elle incapable d'une telle noblesse ?

Non ! Elle ferait tout pour les elfes, comme toujours. Si elle devait renoncer à sa liberté, il en serait ainsi.

Arilyn se fraya un chemin à grands coups de taille et d'estoc vers l'endroit où gisait Aile-de-Faucon. Elle se sentait moins vive, moins rapide que de coutume… Trop tard, elle se rappela les avertissements de son double.

Un mercenaire trompa sa garde, lui flanquant un direct au menton. Tombée à genoux, elle vit Aile-de-Faucon, un œil noir tourné vers le ciel, l'autre crevé par une dague enfoncée jusqu'à la garde…

Folle de douleur, Arilyn en oublia de respirer… et une ombre tomba sur elle. Relevant les yeux vers l'archer qui s'apprêtait à la transpercer d'une flèche, elle vit un projectile le percuter à l'instant où il décochait son trait… qui vola, inoffensif, vers les nuages.

L'archer n'était plus très beau à voir… ni en très bonne santé.

— *Ah, ah ! Pas mal…*, dit une voix masculine, derrière la Ménestrelle. *En voilà un qui n'a pas* volé *ce qui lui est arrivé, si j'ose dire !*

Le timbre de voix aux accents cultivés et traînants lui était familier… Pourtant, c'était de l'elfique. Arilyn se retourna… muette d'horreur en découvrant un bel *humain* souriant. Son partenaire…

Elle comprit aussitôt le comment et le pourquoi de sa présence.

Chaque détenteur de la lame de lune lui conférait un pouvoir particulier. Deux ans plus tôt, Arilyn avait levé certaines restrictions au bénéfice de son coéquipier. Elle ne s'était jamais doutée qu'elle avait ajouté un double de plus à la lame de lune, liant ainsi Danilo Thann à son destin.

— Oh, déesse…, murmura-t-elle. Pas Danilo ! Pas lui aussi !

CHAPITRE XVII

Après plusieurs heures d'inconscience, des couleurs vives dansèrent follement derrière les paupières baissées d'Arilyn. La Ménestrelle se redressa en grognant... Des mains secourables l'aidèrent à s'asseoir.

— Tu as épuisé la magie de la lame de lune pour tenter de secourir Aile-de-Faucon, dit Renard-de-Feu. Pour nous sauver... Tu es très affaiblie.

Aile-de-Faucon... Le souvenir de sa mort lui fit monter les larmes aux yeux. Si elle ne s'était pas épuisée en invoquant les ombres elfiques, elle aurait rejoint son amie à temps pour la sauver.

— Vous avez raté de magnifiques combats ! lança Furet. Je n'avais jamais vu des guerriers si magnifiques ! Neuf champions se battant côte à côte ! Qui pourrait leur tenir tête ? Qui, parmi nous, ne les suivrait pas, arme au poing ? Quelle merveille...

— A la fin, renchérit Renard-de-Feu, les guerriers de l'ombre ont réintégré l'épée... A part le sorcier qui t'a portée ici et s'est assuré que tes jours n'étaient pas en danger avant de se volatiliser...

Arilyn sourit malgré elle. Ce devait être Danilo, toujours entêté et exaspérant. Mais si intuitif, attentionné et doué ! Danilo, transformé... Les elfes dorés étaient considérés comme les plus beaux et les plus majestueux de leur espèce. Un choix typique pour son sémillant ami !

Mais son esprit était condamné à servir l'épée... Et Aile-de-Faucon avait péri.

— Le sorcier voulait vous avertir que vous ne pourriez plus invoquer les guerriers de la lame de lune sans courir de graves dangers, continua Furet. Quel dommage... Avec eux à notre tête, notre tribu affronterait n'importe quel ennemi !

— J'aurai vécu jusqu'à un âge avancé pour écouter des elfes dire qu'ils ont peur d'aller au combat ! grogna une voix rocailleuse, prenant tout le monde par surprise. Enfin... Mieux vaut entendre ça que d'être sourd !

Sidérée, Arilyn remit un visage sur la voix... Comment était-ce possible ? Ils s'étaient séparés dans la montagne...

— Jill ?

Bon sang, elle ne parvenait même plus à rouvrir les yeux...

— En chair et en os ! Quelle bataille, mes aïeux ! Hélas, Kendel et moi sommes arrivés trop tard pour vous prêter main-forte et nous couvrir de gloire...

— Kendel Feuilletonnelle, se présenta l'elfe. A votre service, dame de la lame de lune.

Les Feuilletonnelle étaient des guerriers et des explorateurs de renom... Un compagnon surprenant pour un nain !

— Comment se fait-il qu'on se retrouve, Jill ? murmura Arilyn.

— C'est toute une histoire, soupira le nain. Disons que Kendel et moi avons « emprunté » son épée à un sale bonhomme qui nous a guidés jusqu'ici... avant de rejoindre ses ancêtres.

— Kendel et vous..., répéta la Ménestrelle, amusée

qu'un nain et un guerrier de lune soient en si bons termes.

— Oui ! En chemin, nous n'avons pas cessé de nous quereller comme chien et chat ! C'était à qui zigouillerait notre otage le premier. C'est fou ce qu'on s'est amusé !

— Vous avez d'étranges alliés, Arilyn Lamelune ! lança Furet.

— Et encore, vous ne savez pas tout, ma petite dame ! continua Jill. Moi qui me suis bagarré plus de fois que vous ne vous êtes roulée dans les foins avec vos galants, je croyais tout connaître… Erreur ! Je n'aurais jamais cru voir des spectres se battre aux côtés des vivants ! Le fantôme de la gisante à la chevelure bleue vous aurait suivie depuis la chambre au trésor, Arilyn ? Par la barbe de Morodin, en l'amidonnant un peu, on la prendrait même au sérieux !

Oui… C'était une solution, pensa la Ménestrelle. Si invoquer à volonté les doubles magiques de la lame de lune semblait exclu, elle pourrait au moins « ressusciter » l'héroïne favorite des elfes des bois, pour peu qu'elle l'« amidonne » un brin…

Il était temps de réunir l'ombre de l'elfe et la gisante.

— Avez-vous… ramené Aile-de-Faucon dans la forêt… ? demanda Arilyn.

— Quand tes forces t'ont abandonnée, répondit Renard-de-Feu, les guerriers des ombres ont disparu. Des renforts accourant de la forteresse, nous avons dû fuir. Ne pleure pas Aile-de-Faucon, mon amie… Elle est libre.

Faux !

Les mânes de la jeune guerrière fauchée dans la fleur de l'âge planaient sur le champ de bataille…

L'appel d'Arvandor était fort… mais celui de la forêt, plus doux et plus entêtant que jamais, l'était davantage encore.

Refusant d'accepter sa propre fin, elle restait tiraillée entre un monde et l'autre… Un prêtre de Loviatar n'eut aucune peine à la repérer… et à l'attirer dans un royaume grisâtre. L'esprit indomptable de la guerrière se rebella. En vain. Celui qui la tenait entre ses griffes en avait brisé d'autres. Cette âme implacable adorait la terreur qu'il inspirait à ses victimes. L'humain corrompu parla une langue qu'Aile-de-Faucon comprit inexplicablement.

— *Regarde la cicatrice de cet homme, sur sa joue… Quelle est cette marque ?*

L'elfe résistant, il lut les réponses dans son esprit.

— *Ah… Renard-de-Feu, un Elmanesse du clan Hautes Futaies… Et où réside-t-il ?*

L'inquisiteur lui arracha un par un les secrets de la communauté. Quand il s'estima satisfait, Aile-de-Faucon, dans un sursaut désespéré, s'arracha à ses griffes et fonça, rendue à demi folle, vers les bois.

Peut-être y retrouverait-elle la paix…

Repérer un agent des Chevaliers du Bouclier n'était pas si ardu, somme toute.

Certains forbans du Téthyr se consacraient depuis longtemps au trafic des devises. Dans le royaume, de nombreux types de pièces d'or avaient cours. Plus d'une cité, d'une guilde ou d'un notable frappait les siennes. Dans ces conditions, la contrefaçon avait de beaux jours devant elle !

Les marchands et les inspecteurs arguaient qu'il n'y avait pas de réelle différence entre ces monnaies. Au fond, considérant qu'on utilisait grosso modo les mêmes quantités d'or, ce n'était pas faux. Mais depuis quand les humains s'embarrassaient-ils de logique… ?

Les agents des Chevaliers du Bouclier posaient une pièce d'or typique sur les paupières de leurs victimes. Plutôt que de s'attirer les foudres de la confrérie, même les mendiants et les voleurs s'abstenaient de les ramasser sur les cadavres. En revanche, certaines bonnes âmes les stockaient en vue d'un troc bien particulier. Pour un assassin ou un mercenaire, posséder des pièces aux armes du Bouclier, un gage de prestige, garantissait de recevoir des propositions d'emploi lucratives. Elles permettaient aussi d'obtenir des faveurs ou des informations d'une valeur bien supérieure à leur cours réel.

Pendant son stage à la guilde des assassins, Hasheth avait appris le nom d'une femme qui proposait des services assez spéciaux – une championne pour forger les fausses identités ou organiser les départs précipités.

Au Forgeron Souriant, on remplaçait les sabots des chevaux et les dents des fourches. La propriétaire, une hybride naine nommée Melissa Puits-de-Mine, courtaude et carrée, manquait singulièrement d'attraits comme de grâces. Son faciès ratatiné évoquait une pomme ridée et qualifier son corps horriblement boudiné d'« informe » aurait encore été trop gentil.

Derrière ce physique repoussant et ce cadre miteux se cachaient une experte en fausse monnaie à la tête d'un trafic parfaitement huilé… Peu de gens étaient dans le secret.

Son bleu de travail retroussé jusqu'aux coudes, Melissa attisait le feu de la forge quand Hasheth se présenta, bourse en main… et fit promptement affaire avec elle.

Il repartit avec une autre bourse, pleine de pièces d'or aux armes du Bouclier.

Satisfait, il réfléchit à la suite de son plan de bataille. Comment s'infiltrer au sein de la confrérie en faisant le moins de vagues possible ? Comment adhérer à ce groupe ?

Les Ménestrels, c'était bien beau, mais leurs nobles agents ne se souciaient guère de faire fortune. En somme, les Chevaliers du Bouclier répondaient beaucoup mieux aux aspirations d'Hasheth.

Il était temps de passer à l'action !

CHAPITRE XVIII

Fort de ses quatre siècles d'expérience, Kendel
Feuilletonnelle s'attira vite l'admiration des elfes à
cause de sa vitesse d'adaptation et de ses nombreux
talents. Il avait vite appris à se déplacer aussi silen-
cieusement que ses frères des bois et à chasser à leur
façon.

Au grand amusement d'Arilyn et de Renard-de-
Feu, Jill ne cessait d'asticoter Furet, lui contant outra-
geusement fleurette…

Dès qu'elle se sentit mieux, la Ménestrelle annonça
son intention de refaire un tour à Zazesspur.

— C'était ton idée, répliqua-t-elle quand Renard-
de-Feu voulut l'en dissuader. Bunlap et ses complices
tombent sous le coup de la loi, comme tu l'as souli-
gné. Laisse-moi découvrir qui tient ces chiens en
laisse. Ensuite, les humains balayeront devant leur
porte.

— Je vais avec toi, dans ce cas !

— Non ! Le clan a trop besoin de toi !

A contrecœur, Renard-de-Feu s'inclina.

Néanmoins, ils ne seraient pas trop de deux…
Arilyn entendait rendre Soora Thea aux elfes des bois.

Et Jill l'avait compris.

— Retourner dans cet enfer, vous n'y pensez pas,

ma belle amie ? Vous voulez arracher la gisante à la chambre au trésor ? Eh bien, ne comptez pas sur moi !

— Je ne vous demande rien. Après dix ans passés dans ce palais, je vous comprends.

— Vous estimez que je suis votre obligé puisque vous m'en avez libéré ! Et vous croyez que vous réussirez ? Je ne parle même pas de Kendel, ici présent…

— Je serai aussi de l'aventure, l'interrompit Feuilletonnelle.

— Qui a dit que je venais ? grommela Jill. Enfin… Puisque notre satané ami vient de souscrire à cette folie, j'imagine que vous aurez besoin de moi pour veiller sur lui… Il n'arrête pas de chercher des crosses à tout le monde !

— Je serais heureuse de vous avoir tous les deux avec moi, dit Arilyn. Et vous n'aurez pas à pénétrer dans l'enceinte du palais. Vous nous attendrez dehors avec les chevaux.

— Des chevaux ! cria Jill. Gardez-les, vos sales canassons ! Je voyagerai à dos d'âne.

Sur l'insistance de Renard-de-Feu, ils partiraient le lendemain matin.

Le soir venu, il demanda à Arilyn de marcher dans la forêt avec lui.

— Beaucoup de batailles attendent le peuple des bois… Au cœur des bois, nous sommes dans notre élément. Même les orcs s'abstiennent de venir nous chatouiller… Mais ces troubles me dépassent. Nous avons besoin de toi ici. Ne tarde pas à revenir, je t'en prie !

— Pas plus de quelques jours, c'est promis. Hélas, certaines affaires ne peuvent se régler qu'en ville. Tu l'as dit toi-même, nous devons en savoir plus sur les activités de Bunlap. A Zazesspur, j'ai des contacts. J'aurai le fin mot de l'histoire, fais-moi confiance.

— Je n'en doute pas. Nous formons une belle équipe, toi et moi… (Il lui prit les mains.) Sache que j'aimerais approfondir nos liens. Pense à tout ce que nous accomplirions si nos esprits pouvaient communiquer directement ? Entre en rapport avec moi, Arilyn, et à ton retour, reste près de moi pour toujours !

La Ménestrelle en resta muette de saisissement. Un rapport télépathique était le lien le plus intime que puissent forger des elfes. Avec une hybride humaine… ? Ce serait une première ! Ce lien était-il seulement à la portée d'Arilyn ?

Surprise, elle réalisa qu'elle n'y tenait pas. Renard-de-Feu était aussi noble que beau et admirable… Elle tenait énormément à lui, elle l'aimait même. Mais l'idée lui semblait mauvaise. Si Renard-de-Feu représentait tout ce qu'elle avait cru désirer, pour une raison mystérieuse, les choses avaient changé…

Comment lui répondre sans le blesser ? Une seule solution… Mentir éhontément.

— Tant d'honneur me laisse sans voix… J'admire la profondeur de ta dévotion pour ta tribu. Et tu as raison. Nous ferions des miracles si nous pouvions communiquer d'esprit à esprit.

— N'imagine surtout pas que je le suggère uniquement pour le bien de la tribu !

— Non… Mais je ne peux pas… Je suis déjà liée…

Renard-de-Feu ouvrit des yeux ronds.

— Comment est-ce possible ? Quand nous nous sommes aimés, tu étais vierge !

— Que fais-tu des liens gémellaires ? Ils se forment à la naissance, l'aurais-tu oublié ? Il y a plus d'un cas. Et aussi précieuse pour moi que fut notre première nuit d'amour, il y a tellement d'autres expériences à vivre, aussi exaltantes !

— Je vois… Pardonne-moi.

Elle lui posa une main sur l'épaule.

— Je te remercie de l'honneur que tu me fais.

Il acquiesça, acceptant sa décision avec grâce.

— Il est tard. Tu dois te reposer avant ton départ, demain…

Mais cette nuit-là, Arilyn ne trouva pas le sommeil. Ni Renard-de-Feu la sérénité de la rêverie.

Le premier jour, le quatuor chemina à pied. Au premier village venu, sous son déguisement, Arilyn acheta trois robustes canassons et un âne. Cap sur l'antre secret de Tinkersdam ! La nouvelle mission était tout à fait de son ressort. Parfois, la situation exigeait subtilité et finesse.

Là, ce n'était pas le cas.

En pleine nuit, les aventuriers atteignirent la grotte et y entrèrent. Comme toujours, l'alchimiste vaquait à ses chères expériences : allongé sous une sorte de chariot, il avait les pieds dangereusement près d'un chaudron bouillonnant.

Mais Arilyn se rappela qu'il avait toujours une conscience exacerbée de ce qui l'entourait. Contrairement aux apparences, il était moins susceptible de renverser le chaudron qu'un ogre de sauter un repas. De plus, pourquoi celui-là bouillonnait-il ? Pendu à un anneau, aucun feu ne brûlait dessous… Pas même des braises.

La Ménestrelle s'abstint de toucher à quoi que ce soit.

— Vous revoilà ! lança l'alchimiste sans bouger. Avec des amis, je vois…

Accroupie, Arilyn lui jeta un coup d'œil : il travaillait sur un étrange réseau de tubes et de flacons. Les dieux savaient avec quelle force « explosive » cette nouvelle invention éclaterait à la face du monde !

— J'ai un travail pour vous.

— J'en ai déjà un.

— Faire exploser un palais… Ça vous dirait ?

Tinkersdam daigna tourner la tête vers sa complice.

— Comment ?

— Comme il vous plaira ! Mais ça devra venir de l'intérieur, et sans alerter la garde municipale avant qu'il ne soit trop tard.

L'alchimiste sortit de sous le chariot et se releva. A toute vitesse, il jeta divers ingrédients dans un autre chaudron, préparant sa mixture avec l'habileté d'une ménagère accomplie.

— J'en ai toujours rêvé ! C'est le ciel qui vous envoie, très chère ! De quoi s'agit-il ?

— Du palais d'Abrum Assante.

— Le maître assassin ? lança Furet. Vous êtes folle ou quoi ?

Arilyn se tourna vers l'elfe.

— Il détient un élément essentiel pour nos plans. Soora Thea nous reviendra… dès que nous l'aurons libérée de la chambre au trésor d'Assante !

Les yeux ronds, Furet lâcha :

— C'est donc d'elle que parlait le nain… Mais comment faire exploser le palais de l'intérieur ? Vous connaissez ses défenses !

Arilyn résuma sa précédente mission, décrivant les passages souterrains immergés qu'elle avait empruntés avec succès.

— Evidemment, sortir par la même voie est exclu. Voilà pourquoi nous aurons besoin d'une solide diversion pour convaincre Assante d'utiliser son passage secret. Où nous l'attendrons… Alors, nous le *convaincrons* de nous laisser filer sains et saufs.

— Puis il mourra, dit Furet. Pas question d'épargner un homme aussi dangereux. Et ensuite ? Comment transporterons-nous notre héroïne endormie ?

— J'ai un ami dans la guilde navale. Il nous aidera.

— Nous y voilà ! annonça triomphalement Tinkersdam en présentant à la Ménestrelle une petite coupe.

On eût dit de la porcelaine shou, décorée de dragons crachant le feu. Une mèche flottait au centre d'une substance gélatineuse. Au fond scintillaient des cristaux multicolores.

— On jurerait une inoffensive bougie ! s'extasia Arilyn.

— La mèche allumée, il vous restera moins d'une heure pour vous mettre à l'abri.

— Ce palais est en marbre d'Halruaa et les murs sont épais… Etes-vous certain que ça fera l'affaire ?

L'alchimiste ricana.

— Comme si tout ce qui venait d'Halruaa était supérieur au reste du monde !

Une idée folle traversa l'esprit de la Ménestrelle. La rivalité entre les prêtres lantans de Gond et les artificiers d'Halruaa était bien connue.

— Comment un sorcier d'Halruaa préparerait-il une forteresse à une attaque ?

— Très mal… Un artificier s'y prendrait peut-être moins mal. Peut-être !

— Vous pourriez prévoir les pièges et les désactiver ? Bien sûr, quelle question ! ajouta vivement Arilyn. Voilà ce que nous allons faire… Nous partons nous occuper du palais… Puis nous reviendrons vous chercher et vous viendrez avec nous à la bataille. Aurez-vous préparé tout ce qu'il faudra ?

— Sûrement…, répondit Tinkersdam. En ville, vous achèterez du charbon, du soufre, de l'alun et… un pot de harengs marinés. Pour le déjeuner…

Réprimant un sourire, Arilyn se promit de lui en rapporter des tonnes ! D'ailleurs, à la fin de l'aventure, elle veillerait à ce que les Ménestrels et Amlaruil offrent à l'alchimiste sa propre flottille de pêche spécialisée dans le hareng !

A supposer qu'ils en sortent vivants…

Au petit matin, ils furent à Zazesspur. Jill et Kendel gagnèrent des quartiers assez sûrs pour les non-humains. Les deux autres elfes allèrent chez Hasheth. Furet avait repris son déguisement usuel.

— De quel ami s'agit-il, Arilyn ? demanda-t-elle à voix basse tandis qu'elles descendaient une belle avenue.

— Hasheth. Un des fils du pacha Balik.

— Ah… Les Ménestrels ont plus d'une corde à leur arc. Mais nous parlons d'un adolescent, je crois ?

— La valeur n'attend pas le nombre des années, dit-on… De toute façon, ce n'est pas vraiment un ami. Mais il a des oreilles qui traînent partout. Et il adore les intrigues.

Elle poussa le portail d'une petite résidence, guidant sa compagne dans un modeste jardin. A l'entrée, un portier les accueillit puis les fit passer au salon. Le maître de maison les verrait bientôt.

Après quelques instants, le jeune prince vint au-devant de ses visiteuses.

— Votre mission est remplie ? Vous venez célébrer votre succès, j'espère ?

— Pas tout à fait, hélas… Il nous faudrait des informations. Comment se passe votre apprentissage ?

— Au mieux ! Hhune a l'audace de ses ambitions.

— Souvenez-vous qu'il a trempé dans le complot visant à détrôner votre père, rappela Arilyn, espérant modérer son enthousiasme.

A ce qu'elle connaissait du seigneur Hhune, une trop grande adulation était déplacée.

— Ne vous en faites pas, répondit-il. Je resterai sur mes gardes. Quels renseignements vous faut-il ?

— Tout ce que vous pourrez glaner sur un nommé Bunlap… Il a une forteresse sur l'affluent nord du Sulduskoon.

— Je le connais. C'est un chef mercenaire venu du Nord. Le seigneur Hhune emploie à l'occasion ses hommes comme garde ou escorte de caravanes.

— Que manigance-t-il dans la forêt du Téthyr ?

— Cela, je ne sais pas. Il n'est pas censé y traîner ses guêtres. Ses hommes protègent une scierie.

Furet bondit sur ses pieds.

— Une scierie ? Où ça ?

— Je l'ignore… D'après les archives, les troncs sont embarqués au sud.

— Montrez-moi un objet fabriqué à partir de ce bois ! Maintenant !

Peu habitué à ce qu'on lui parle sur ce ton, le prince se rembrunit. Mais un signe d'Arilyn le radoucit. Il sortit et revint avec un petit rond de table qu'il posa sur un tapis.

Avec un cri étranglé, Furet tomba à genoux, laissa courir ses doigts sur le grain du bois… puis leva un regard furibond vers son hôte.

— Cet arbre était déjà vieux quand les collines du Téthyr étaient peuplées de loups et de moutons en liberté ! Il a été abattu dans notre forêt !

— Sans être au fait de la juridiction locale, dit Arilyn, je sais que c'est une violation de la loi. Pourquoi Hhune prend-il de tels risques ?

— Il peut ne pas se douter de l'origine du bois, avança Hasheth.

— J'en doute. Eh bien, Furet, votre prochaine cible ne fait plus aucun doute.

— Hhune !

— Mais d'abord…

Arilyn décrivit au jeune homme ce qu'elles attendaient de lui. S'il dit oui à tout, elle trouva ses réactions trop mécaniques pour être honnêtes…

Ensuite, Hasheth raccompagna ses visiteuses au portail et les regarda s'éloigner.

Diantre… Voilà qui compliquait encore la situation. Bien sûr, il pouvait trahir la Ménestrelle. Ses complices et elle aussitôt arrêtés par la garde du palais d'Assante, ce coup d'éclat lui vaudrait d'intégrer la confrérie du Bouclier avec les honneurs.

Qu'avait révélé Arilyn à ses supérieurs ? Les Ménestrels avaient-ils d'autres agents, prêts à prendre la relève ? Mieux valait le diable qu'on connaissait… Hasheth avait intérêt à protéger Arilyn. Pour l'instant…

Mais de là à lui permettre de nuire au seigneur Hhune ! le pivot de tous ses plans…

Hasheth trouverait la solution. Un homme aussi ingénieux que lui ne laisserait rien ni personne le détourner de son but !

Une fois n'était pas coutume, le *Lythari*, sous sa forme animale, s'aventura à l'est des terrains de chasse suldusk. Il y avait peu d'elfes des bois aussi secrets et hostiles à toute intrusion que les Suldusk…

Mais Ysengrin s'était promis de veiller aux intérêts de tous les elfes.

Dans cette région de la forêt, les arbres poussaient sur de grandes collines grêlées de grottes et de ravins. Les Suldusk, enracinés là depuis des temps immémoriaux, avaient bien accueilli les réfugiés de Cormanthor… Les futurs Elmanesse. Mais au fil des siècles, les rapports entre tribus s'étaient espacés. Même les *Lythari* ne chassaient plus sur les terres des Suldusk.

Parvenu sur la crête d'une colline, le métamorphe découvrit une scène de désolation. A la place de la merveilleuse forêt, les arbres gisaient sur le sol, leurs branches calcinées pour faciliter la découpe des billots.

Vivants, les Suldusk n'auraient pas permis une telle profanation de leurs terres ancestrales…

Ysengrin partit en direction de leur communauté… Bien avant de l'atteindre, des relents de douleur, de mort et de désespoir montèrent à ses narines. Ce qu'il découvrit ensuite lui confirma le pire.

Déchiré, il reprit sa forme elfique.

Les loups ne pleuraient pas.

CHAPITRE XIX

Les poignets reliés par l'amulette magique de Perlc Noire, Arilyn et Furet nageaient dans le tunnel immergé du palais. Un jambonneau entier occupa les crustacés géants, leur permettant de passer sans encombre. Puis elles se hissèrent au sec, dans la salle rose. Furet remit son turban et sa robe. Habillée en courtisane calishite et munie du plan du palais dessiné par Jill, elle irait placer la « bougie » dans un des étages supérieurs pendant qu'Arilyn récupérerait le cercueil de verre de la chambre au trésor.

Plus déterminée que jamais, la Ménestrelle ne fit qu'une bouchée des trois gardes, sa rapidité et son efficacité les prenant au dépourvu. Elle égorgea le premier, transperça le deuxième au cœur… et épargna le troisième à condition qu'il ouvre la porte. L'homme n'hésita pas.

A l'évidence, il ignorait les pièges que contenait la serrure. Dès qu'il tourna la clé, il fut foudroyé…

… et un des battants s'ouvrit.

Piétinant les restes du malheureux sans y prêter attention, Arilyn entra… Elle ouvrit le cercueil de verre et prit la gisante dans ses bras au moment où une première secousse faisait trembler le sol et les murs.

— « *Moins d'une heure* », marmonna la Ménestrelle, ironique.

Zoastria serrée sur son cœur, elle regagna la sortie, évitant les statues ou les rayonnages qui tombaient. Une deuxième secousse précipita Arilyn à genoux. Elle se releva sous une pluie de plâtre et courut jusqu'au puits. Comme prévu, Furet l'y attendait, sa dague pressée sous la gorge d'un Téthyrien d'âge mûr. Ne doutant pas que des explosions de cette ampleur neutraliseraient l'essentiel de ses défenses, Assante s'était précipité aux niveaux inférieurs... où Furet l'avait « cueilli ».

— Le palais s'effondre ! mentit-elle. Emmenez-nous en sécurité avec vous et vous aurez une chance de vous en sortir ! Appelez à l'aide ou tentez un coup fourré, et je vous tuerai immédiatement ! Compris ?

Hochant la tête, l'ex-assassin les guida à travers une succession de pièces et dans des escaliers de marbre. Le tumulte qui les accueillit, dans le hall d'honneur, rappela à Arilyn une charge de cavalerie.

Traînant des amis blessés, les esclaves cherchaient désespérément à échapper aux flammes. Dans la panique générale, nul ne remarqua la présence du maître...

Une fois à l'air libre, tout le monde courut vers les passerelles. Dès qu'elle fut près du premier bassin, Furet y précipita Assante... Un grésillement écœurant s'éleva, assorti d'une série de *pops*...

Arilyn grimaça. Furet et son agaçante manie de zigouiller les humains ! Sans leur otage, elles redevenaient vulnérables.

— Courons ! cria la Ménestrelle.

Par bonheur, elles atteignirent les portails sans encombre et déboulèrent dans une rue. La confusion y régnait. Des conditions idéales pour passer inaperçu... Arilyn fendit la foule en direction de l'attelage préparé par Hasheth à leur intention, à trois rues de là. Encapuchonné, Kendel Feuilletonnelle tenait les rênes, prêt à les conduire en sécurité. Se penchant, Jill prit la gisante à Arilyn pour l'installer sur un siège. La Ménestrelle s'emmitoufla dans une cape avant de sauter, près de Kendel. Lui prenant les rênes, elle fit démarrer l'attelage.

Etrange équipage que les six voyageurs qui traversaient la forêt du Téthyr...

Un prêtre de Gond, guère ravi d'avoir dû troquer sa tenue jaune habituelle contre des habits vert et marron plus pratiques.

Un elfe de lune aussi silencieux qu'une ombre.

Un nain beaucoup moins discret.

Une elfe des bois, une elfe de lune et une héroïne d'antan traînée sur une civière.

Il leur faudrait quatre jours pour rallier Hautes Futaies. Arilyn mit le voyage à profit pour échafauder des plans.

Alors qu'ils approchaient de leur destination, Furet poussa soudain un cri étranglé... et partit au pas de course.

— Restez là ! beugla Arilyn avant de lui emboîter le pas.

Peu après, elle découvrit ce qui avait horrifié Furet... Un cercle carbonisé, à l'emplacement de Hautes Futaies...

Un cercle trop parfait pour être autre chose que magique... L'œuvre d'un sorcier...

Hautes Futaies n'existait plus.

CHAPITRE XX

Les deux elfes contemplèrent les ruines fumantes.

— Mon clan n'est pas exterminé…, souffla Furet d'une voix lointaine. Certains sont vivants… Ils ne sont pas très loin…

Arilyn ne lui demanda pas d'où lui venait sa clairvoyance. Quand la tragédie frappait, même sans être unis par des liens magiques, les elfes pressentaient des choses que leurs sens habituels n'auraient pu détecter.

Furet émit un sifflement aigu.

Peu à peu, les survivants arrivèrent, le regard vitreux et la démarche hésitante.

Furet courut se jeter dans les bras de son frère, qui chercha Arilyn du regard.

— Comment cela a-t-il pu arriver ? Comment les humains nous ont-ils trouvés ?

La solution, douloureuse, s'imposa en un éclair à la Ménestrelle.

— Ils avaient sans doute un nécromancien… Certains prêtres peuvent forcer l'esprit des morts à répondre à leurs questions. Aile-de-Faucon a péri non loin de leur forteresse. Contraints de fuir, nous n'avons pas pu ramener sa dépouille dans la forêt. Tout ce qu'elle savait, nos ennemis le savent aussi.

Les survivants regardèrent la Ménestrelle. Quelle abomination ! Aucun elfe n'aurait troublé ainsi le repos éternel d'un défunt… surtout avec d'aussi mauvaises intentions !

Des murmures s'élevèrent, incriminant l'étrangère, par qui tout le malheur était arrivé. Comment en vouloir aux elfes des bois ? Harcelés de toutes parts, leurs foyers détruits…

— Nous avons exécuté vos plans, Arilyn, dit Rhothomir. Nous vous avons écoutée. Et voyez nos souffrances ! Quittez à l'instant cette forêt, et n'y revenez jamais.

— Quoi ? cria un des survivants. Pas question qu'elle parte ! Le temps est venu pour notre clan de se protéger !

— Le temps est venu pour les enfants du Téthyr de s'unir et de combattre ! lança une autre voix. Personne ne touchera à un cheveu d'Arilyn Lamelune !

Tous les regards se tournèrent vers le nouveau venu… Malgré les circonstances, la vue du magnifique *Lythari* remit du baume au cœur à tous les elfes.

Ysengrin rejoignit son amie et reprit son apparence elfique.

Tous les elfes hoquetèrent d'effroi et d'émerveillement. Ils n'avaient jamais vu un *Lythari* se transformer.

Amical, il posa une main sur l'épaule d'Arilyn.

Un miracle en précédait un autre… Répondant à l'appel, une dizaine de loups apparurent, formant un demi-cercle sans se métamorphoser. Leurs étranges yeux bleus semblaient défier les elfes des bois. Un message éloquent… Quiconque menacerait Arilyn aurait affaire à eux !

— Je reviens du territoire suldusk, dit Ysengrin. Egalement détruit… Mais contrairement à vous, les rares survivants ont été emmenés par leurs agresseurs… Le camp humain s'étend près du fleuve.

Arilyn, tu connais les hommes mieux que nous. Guide-nous !

— Les Elmanesse ont assez de leurs problèmes ! protesta Rhothomir.

Ysengrin tourna vers lui son regard clair… L'orateur baissa la tête, honteux. Si les *Lythari* eux-mêmes quittaient leur territoire pour secourir les Suldusk, les elfes des bois pouvaient-ils faire moins ?

— Il y a plus grave encore, continua Ysengrin. L'ennemi défriche la forêt pour faire commerce de nos arbres ! Il menace tous les enfants du Téthyr, sans exception ! Jadis, les tribus s'étaient unies pour lutter contre un grand fléau. Aujourd'hui, l'histoire doit se répéter !

Pleine de ferveur, Furet prit à son tour la parole.

— Souvenez-vous, Soora Thea nous a jadis conduits à la victoire ! Nous redonnerons vie à la légende. Suivez-moi !

Arilyn invita Ysengrin et les siens à lui emboîter le pas et rejoignit Jill et Tinkersdam.

Morose, l'alchimiste se tenait la tête à deux mains. Sans rien à faire voler en éclats, Tinkersdam était malheureux comme les pierres. Kendel s'était volatilisé.

A l'arrivée des *Lythari*, le prêtre et le nain ouvrirent des yeux ronds comme des soucoupes.

— Pas le temps d'expliquer ! lança Arilyn. Tinkersdam, grimpez sur le dos de ce loup, Jill sur celui-là… Ysengrin, que les tiens repèrent un elfe de lune aux cheveux roux et aux yeux bleus. Il est sans doute parti chasser… Emmenez-le près du champ de bataille et attendez-nous. Et par Gond, Tinkersdam, si vous faites exploser quoi que ce soit entre-temps, vous vous retrouverez tout seul dans la forêt !

L'alchimiste haussa les épaules, puis reprit son

paquetage avant d'enfourcher maladroitement un des loups géants. Jill l'imita en jurant d'abondance. Les deux *Lythari* disparurent dans le sous-bois.

Furet réapparut, les rescapés sur les talons. Elle s'arrêta et désigna Zoastria.

— Ysaltry, Nimmetar, vous avez combattu aux côtés de Soora Thea. Dites-nous si c'est bien elle !

Les guerrières dévisagèrent l'elfe qui semblait dormir… Puis elles hochèrent la tête.

Furet se tourna vers Arilyn.

La balle était dans son camp…

… Elle dégaina sa lame de lune avec grâce et majesté. Une lueur bleue scintilla sur la garde, et dansa le long du fil, arrachant aux elfes des cris d'émerveillement.

Nul n'ignorait la puissance d'une telle arme, ni ce qu'elle impliquait.

Cette épée ensorcelée avait appartenu à leur héroïne !

Les survivants de Hautes Futaies en eurent les larmes aux yeux.

— Depuis des siècles, dit Furet, on le répète : tant que la magie de Myth Drannor habitera l'épée, une héroïne reviendra nous sauver… Jadis, Soora Thea joua ce rôle. Aujourd'hui, elle répond à l'appel de sa descendante !

Arilyn se plaça devant la gisante.

— Viens à moi, toi qui fus Zoastria, toi qui fus Soora Thea…

De la brume apparut… Puis le spectre gagna de la substance… jusqu'à paraître aussi réel et vivant que n'importe qui. De la couleur de la neige, son teint tourna à celui de la nacre.

Enfin, l'apparition ouvrit les yeux.

La gisante qu'Arilyn avait ramenée de Zazesspur s'était volatilisée, comme aspirée par l'ectoplasme…

Zoastria se campa devant ses anciennes sœurs d'armes pour les saluer.

— Ysaltry, fille d'Amancathara… Et toi, Nimmetar… Je me souviens de vous, de votre bravoure… En ces temps sinistres, votre sagesse et vos souvenirs sont plus que jamais nécessaires à notre clan !

Rhothomir s'agenouilla devant l'elfe de lune revenue de l'au-delà.

Le reste de cette journée historique se passa en conseils de guerre et en préparatifs. Bientôt, les elfes marcheraient sur la scierie clandestine. Même le clan *Lythari* resterait à proximité.

A la tombée de la nuit, Arilyn et Furet s'isolèrent avec Renard-de-Feu.

— Les humains ont surgi plus vite que je ne l'aurais cru possible, admit-il. Ils connaissaient le chemin et toutes nos défenses. Leur sorcier a abattu nos sentinelles puis pulvérisé le bosquet de nos dryades ! Ils avaient dû s'entourer de bulles de silence car rien n'a filtré avant qu'il ne soit trop tard… Ceux d'entre nous qui en ont réchappé doivent la vie aux oiseaux…

— Comment avez-vous réussi à fuir ? demanda Furet.

— Ils ne nous ont pas pourchassés.

Arilyn fut impressionnée par la peur qui brillait au fond des yeux de son amant.

— Tu penses qu'ils cherchent à nous attirer sur leur terrain ?

— Oui. Et ce ne serait pas la première fois… N'ont-ils pas laissé mes propres flèches dans la clairière du Conseil, pour incriminer ma tribu ? Comme je te l'ai expliqué, leur chef a un compte à régler avec moi…

— Grâce aux dieux, dit Arilyn, tu ne comprendras jamais les êtres malveillants comme Bunlap. A Zazesspur, j'ai appris qu'on l'avait engagé pour protéger une scierie des attaques suldusk… Les premiers conflits ont dû lui coûter beaucoup plus qu'il n'aurait cru. D'où la haine féroce qu'il nourrit pour tous les elfes. Des êtres foncièrement mauvais comme lui, j'en ai croisé plus d'un… S'il y a une explication convaincante au pourquoi de leurs actes, j'aimerais l'entendre… De grâce, mon ami, ne te tourmente pas. Rien de tout cela n'est ta faute.

Touché, Renard-de-Feu lui caressa une joue.

— Merci. Mais maintenant, rejoignons les autres.

Arilyn se leva et s'éloigna.

Furet retint le guerrier par un bras.

— Nous étions promis l'un à l'autre, murmura-t-elle. L'as-tu si vite oublié ?

Renard-de-Feu la dévisagea.

— Nous étions des enfants… Depuis, beaucoup de choses ont changé. Tu as demandé que je te libère de tes vœux avant de partir à Zazesspur !

— Je ne regrette pas les sacrifices que j'ai consentis au nom de notre clan. Mais tu as perdu de vue les raisons de notre engagement. Je suis la sœur de l'orateur, la gardienne de nos coutumes… Tu es le chef. Notre couple aurait donné de beaux enfants à la tribu. Des futurs dirigeants. Si tu ne choisis pas bientôt une compagne digne de toi afin d'avoir des héritiers… Pense à Hautes Futaies !

— Ah… Et si je jette mon dévolu sur Arilyn, notre clan n'acceptera pas nos enfants de gaieté de cœur, c'est ça ?

— En partie. Tu ne sais pas tout sur elle. Nous nous étions rencontrées dans la cité des hommes… Crois-moi, les apparences sont trompeuses !

— Je vois…

Il la dévisagea de plus belle, infiniment surpris qu'une exaltée comme Furet ait su garder le secret. Elle n'en avait même pas parlé à son frère…

— Tu sais donc qu'Arilyn est une hybride. Maintenant que tu la connais mieux, cela fait-il une différence ?

— Non… Je suppose que non. Mais je dois te dire… Elle n'est pas pour toi. Elle a donné son cœur à un humain.

— Je sais. Merci de ta sollicitude. Allons…

Ils rejoignirent le Conseil et entrèrent dans le débat sur la meilleure stratégie à adopter contre le sorcier. C'était le moment ou jamais pour Arilyn de faire accepter la présence d'un alchimiste humain en leur sein.

— Vous avez tous vu les dégâts que ce sorcier peut faire… La destruction de Hautes Futaies… Le renvoi de nos flèches à l'expéditeur… Imaginez ce qu'il inventera encore pour nous nuire ! Les sortilèges, les pièges… J'ai un ami capable de lui faire regretter d'être né ! Cet humain est un prêtre érudit au service d'un dieu bienveillant. Même les *Lythari* l'ont accepté. Ils l'ont emmené avec deux guerriers près du site de la prochaine bataille, afin qu'il fourbisse ses armes…

— Une sage précaution ! commenta vivement Renard-de-Feu. A l'époque de Cormanthor, des humains se sont alliés à nos aïeux…

— Mon ami, renchérit Arilyn, déteste Halruaa. Soyez certains qu'il fera tout pour abattre le sorcier !

— Qu'il en soit ainsi, conclut Zoastria.

La clairière de la dame des cygnes était à deux jours de marche à l'est, près du lac principal de la forêt. De là partait une petite rivière qui traversait le territoire suldusk. Les elfes construiraient des radeaux et se laisseraient entraîner au fil de l'eau, histoire de gagner du temps. Après une nuit de rêverie, de méditation et de prières à la Seldarine, ils partiraient à l'aube…

Aux premiers trilles, ils étaient déjà en route, remontant les pistes des humains. Comme toujours, Tamsin était parti en éclaireur… Soudain, sa sœur jumelle, Tamara, s'immobilisa, les mains volant sur ses yeux.

Tamsin venait d'être abattu sans avoir pu lancer un avertissement…

Tamara se tourna vers Renard-de-Feu.

— Les humains nous attirent à eux… Ils nous tendent un piège. Venez, il faut que vous voyiez…

A plusieurs centaines de pas de la piste, le cadavre d'un Suldusk était ligoté au tronc d'un sapin…

— A combien d'autres malheureux a-t-on fait subir le même sort ? murmura Tamara. Combien mourront en captivité ?

Ysengrin, qui avait rejoint les Elmanesse à l'aube, se rapprocha de Zoastria.

— J'ai vu le campement ennemi. Les humains sont plus nombreux que nous. Et ils ont eu le temps de préparer leurs défenses. Notre seul espoir est d'arriver à les surprendre. Mon clan vous conduira près du campement. Par notre raccourci, il est à une journée de marche d'ici.

— L'ennemi en a trois d'avance sur nous, dit Rhothomir. Néanmoins, il ne nous attendra pas si tôt… Grâce à vous, nous éviterons les sentinelles et lui fondrons dessus !

L'orateur et Renard-de-Feu furent parmi les premiers à partir en compagnie des *Lythari*.

Zoastria fit signe à Arilyn d'approcher.

— Les événements se précipitent. Il est temps. Tu as fait honneur à la lame de lune, toi, une sang-mêlé… Maintenant, il faut me la rendre.

CHAPITRE XXI

Arilyn n'avait pas prévu ça.

— La lame de lune m'a acceptée. Nous sommes unies !

— Une seule d'entre nous la maniera. Prends une autre arme et battons-nous !

La demi-elfe ne l'entendit pas de cette oreille. Elle était presque certaine de pouvoir battre son aïeule. Et elle ne l'avait pas ramenée de l'au-delà pour tout fiche par terre maintenant !

— Ou écoute ton cœur, dit Zoastria. Remets-la-moi de ton plein gré, libère-t'en une fois pour toutes… Tu auras rempli avec les honneurs tes devoirs envers le peuple des bois.

Alors que cette solution débarrassait Arilyn d'un énorme poids, une étrange tristesse la saisit pourtant.

— Et… le don que je lui ai conféré ?

— Il sera annulé. C'est d'accord ?

— Un instant…

La Ménestrelle dégaina l'arme ensorcelée, l'unique lien avec son héritage elfique… Mais au nom de son peuple, et pour l'amour de sa mère, elle consentirait à s'en séparer.

Une dernière fois, elle la leva au ciel, invoquant son double et celui de Danilo. Les deux ombres répondirent aussitôt à son appel. Son ami se doutait-il de l'existence de son double magique ? Ou de ce qui se passait au Téthyr ?

Arilyn rengaina la lame de lune et tendit le ceinturon à son aïeule. Zoastria la dégaina aussitôt. La pierre étincela, acceptant une de ses anciennes détentrices. Une des runes gravées sur la garde commença à s'estomper…

Main dans la main, le double magique de la Ménestrelle et celui de Danilo disparurent…

— Merci de me recevoir, Excellence, dit Hasheth en prenant le siège qu'on lui désignait.

Côtoyer un homme aussi puissant que le duc Hembreon avait de quoi faire tourner la tête !

— Vous disiez avoir un message de Hhune pour moi. Des complications à Eau Profonde ?

— Rien qui sorte de l'ordinaire, assura Hasheth. Comme vous savez, le seigneur Hhune a pris sur lui de régler le problème posé par les elfes des bois.

Le prince doutait que les Chevaliers du Bouclier connaissent les activités illégales de Hhune. Pas étonnant que le sieur veuille tout régler à sa façon !

— Il se serait confié à vous, donc…

— Je suis son apprenti, Excellence. Je ne demande qu'à… apprendre.

A moins d'abandonner toute subtilité, il n'aurait pu mieux laisser entendre qu'il était initié aux secrets du Bouclier.

Songeur, le duc hocha la tête.

— Et qu'avez-vous appris ?

— Les elfes sont des victimes. Leurs arbres abattus, eux-mêmes massacrés… C'est l'œuvre d'un misérable mercenaire nommé Bunlap. Les elfes ont juré de le mettre hors d'état de nuire. Ils ne déposeront pas les armes avant d'en avoir fini avec lui.

— Et le bois ?

— Il embarque pour Port Kir par des détours ingénieux, Excellence. Le mercenaire s'enrichissant de façon obscène, il a levé une véritable armée. Le bois est acheminé vers un chantier naval… Bunlap est un homme dangereux. Mais je suis encore trop jeune, seigneur Hembreon, pour m'opposer avec succès à ce genre de personnage… Peut-être cherchera-t-il à incriminer Hhune, son employeur… D'autant plus qu'il a placé un de ses agents dans l'entourage de mon maître. Laissez-moi le démasquer !

— Vos paroles ne manquent pas de sagesse, dit le duc, l'air sombre. Et vous avez bien fait de venir m'en parler. Entendu… Les Chevaliers du Bouclier vous chargent de démasquer ce traître. Quant à Bunlap… Où peut-on le trouver ?

— Il a une forteresse près de l'embouchure nord du Sulduskoon. La scierie est plus à l'est, là où le fleuve et la forêt se rejoignent.

— Le Bouclier n'a pas d'armée à lui opposer là-bas !

— Un assassin, alors… Je connais une demi-elfe désireuse de ramener la paix entre nos communautés. Elle a reçu des assurances : la mort de Bunlap mettra fin à la résistance des elfes.

Pur mensonge… Mais la réalité pourrait rejoindre la fiction. Après tout, Arilyn s'était juré de démanteler le réseau clandestin.

— Veillez-y. Vous viendrez me faire votre rapport ensuite.

Cachant sa jubilation, Hasheth prit congé et sortit. L'entrevue s'était déroulée on ne peut mieux. Encore un peu et il serait dans les bonnes grâces de Hhune, de Hembreon et de la confrérie entière.

A quel prix ? Celui de la flotte clandestine de son maître…

Rien du tout, aux yeux du fils du pacha !

Le lendemain, les elfes des bois et les *Lythari* se rassemblèrent dans les collines, près du territoire sul-dusk. Ils attaqueraient à l'aube. Le plus ardu serait de libérer les prisonniers – une cinquantaine entassés dans des cages, d'après les éclaireurs.

Si les elfes des bois avaient d'emblée accepté Kendel Feuilletonnelle parmi eux – malgré son effarante amitié avec un nain ! –, la présence d'un humain, en revanche, les laissait… perplexes.

Tinkersdam restait dans son coin, maugréant à loisir au milieu de sa collection de flacons, d'alambics et de poudres. Furet avait raconté l'épisode *explosif* du palais de Zazesspur… Après ça, les elfes étaient disposés à « lâcher » l'alchimiste sur l'ennemi !

Son contrat pour ainsi dire rempli, Arilyn se sentait désœuvrée… Grâce à elle, les *Lythari* avaient rejoint les elfes des bois et Zoastria était de retour… Ne plus sentir la lame de lune battre son flanc la laissait curieusement désemparée. Elle la portait depuis ses quinze ans… et ne l'avait pas remplacée. Les elfes maniaient rarement la lame.

Entre deux entraînements, Renard-de-Feu vint voir l'élue de son cœur.

— Je me suis souvent interrogé sur le pouvoir que tu avais conféré à ton épée, Arilyn… Il paraît que ça ne découle pas d'un choix délibéré. Ce serait plutôt le reflet des talents de son détenteur.

— Ou ça découle de la mission… Parfois, la magie

est la seule réponse possible à un défi. Un de mes ancêtres, en désaccord avec un dragon rouge, s'est empressé d'ignifuger son épée…

— Voilà pourquoi tu as pu détourner les foudres du sorcier… J'ai vu ton arme scintiller puis frapper à une vitesse inouïe… Est-ce toi qui lui as donné ces pouvoirs ?

— Non. Une lame de lune n'appartient en principe qu'à un seul être. Si on a un partenaire, ça pose des problèmes… Alors j'ai partagé avec le mien les pouvoirs de mon épée.

— Ah… Je comprends mieux.

Arilyn leva un sourcil interloqué.

— Lors du dernier combat, j'ai vu les guerriers des ombres sortir de la lame de lune. L'un d'eux n'était pas elfique… même s'il a rapidement pris l'apparence d'un elfe doré. Quand tu m'as avoué t'être liée à un autre, j'ai fait le rapprochement… N'aie pas l'air si étonnée ! Tu l'as dit toi-même : il y a toutes sortes de partages. C'était le cadeau le plus intime que tu aurais pu lui offrir.

Arilyn en resta sans voix. Renard-de-Feu avait raison sur toute la ligne ! Malgré elle, son cœur et son épée avaient choisi… Danilo Thann.

Ironie du sort… Le mensonge qu'elle avait proféré pour ménager la susceptibilité de Renard-de-Feu se révélait être la stricte vérité.

Il sourit.

— Rassure-toi, tu n'es pas la première à te lier à un humain. Etrange comme les Oreilles Rondes nous attirent, en dépit de tout… Rappelle-toi ce chant, à Plaque Tournante, que les elfes aimaient fredonner…

— « *Combien fugace est leur flamme, mais comme elle brille avec éclat !* », cita Arilyn. Oui, je m'en souviens…

— Tu sais que c'est vrai. A l'instar de ta mère…

— Oh ! Tu sais depuis toujours que je suis une sang-mêlé…

— Presque… Au début, comme Furet, j'ai gardé ton secret, car nous estimions que c'était dans l'intérêt de notre clan. Nous avions besoin de toi. Puis j'ai continué à me taire par amour pour toi. J'ai vite compris que ta part humaine était sans importance à mes yeux. Le peuple des bois aussi devrait ne pas s'en soucier. Ton âme *est* elfique, sinon tu n'aurais jamais pu manier une lame de lune. Et que tu aies choisi un humain comme partenaire ne change rien à l'affaire.

Pour la première fois de sa vie, Arilyn ne se sentit plus déchirée entre ses deux origines.

— Merci…, chuchota-t-elle.

Renard-de-Feu lui posa les mains sur les épaules.

— Il fallait que je te dise tout ça. Demain, nous irons au combat. Tu affronteras ton destin et moi le mien… D'une façon ou d'une autre, tout sera réglé.

Un bruit suspect fit sursauter les elfes. Un centaure barbu… et souriant… apparut. Il prit la parole d'une voix grave.

— Je suis Nesstiss. Dix braves m'accompagnent. Les faunes se joindront à nous. A qui devons-nous nous présenter ?

Le soutien des centaures finit de galvaniser la petite armée elfique. Sa sombre détermination céda la place à la joie féroce précédant les combats… Peu avant l'aube, tous prirent position, près de la zone déboisée… Une vision surgie des Abysses ! Les souches calcinées des arbres se détachaient comme autant de champignons géants.

Mais ce tableau redonna des forces et du courage aux défenseurs. Voilà contre quoi ils se battaient !

Hélas, ils étaient si peu nombreux… Se souvenant d'un cadeau de Tinkersdam, Arilyn sortit de son sac une décoction de champignons hurleurs d'Ombre-Terre, imbiba de quelques gouttes un carré de lin et se hâta de rejoindre le capitaine des centaures.

— Nesstiss, lève un de tes sabots. (Surpris, il obéit. Elle le lui frotta avec le lin.) Maintenant, repose-le doucement…

Le crissement du gravier, sous le sabot, fut amplifié cent fois.

— Avec cette décoction, vous ferez à dix autant de tumulte qu'une charge de cavalcrie ! Les mercenaires auront un réveil douloureux !

Zoastria hocha la tête, l'air approbateur.

— Vous prendrez les humains en tenailles, ordonna-t-elle. Puis vous les pousserez vers nous.

Quand tous les sabots des centaures furent traités, la Ménestrelle ajouta :

— Zoastria, il reste quelques gouttes si vous voulez… On vous entendra d'un bout à l'autre du champ de bataille.

L'héroïne vida sans hésiter le flacon que sa descendante lui tendait. Puis elle dégaina sa lame de lune et lança un cri de guerre qui résonna au-dessus des collines avec la force d'un rugissement de dragon.

Les centaures s'élancèrent… Fondant sur le campement humain à la vitesse d'un orage d'été, ils firent trembler le sol…

A demi vêtus, les mercenaires sortirent de sous leurs tentes.

Les elfes chargèrent… La première flèche de Renard-de-Feu foudroya un orc, dont la hache s'abattit dans le dos d'un autre…

— Une flèche, deux orcs ! lança Arilyn, admirative, à son compagnon.

Pas assez habile pour décocher des flèches en courant, elle brandissait pour toute arme une dague… Mais nul hormis Zoastria, Renard-de-Feu et Furet, n'était censé le savoir.

Une pluie de flèches noires s'abattit sur les mercenaires, les contraignant à chercher un refuge.

En vain.

Ayant contourné le camp, les centaures poussèrent comme prévu les humains vers leurs ennemis, les embrochant à tour de bras à la pointe de leurs lances.

Une épée large au poing, sa cape claquant au vent, un humain de haute taille arpentait le campement en rugissant des ordres. Les survivants se regroupèrent et firent front.

La bataille continua au corps à corps… Arilyn n'était pas en reste, affrontant un adversaire après l'autre et volant souvent au secours d'elfes en difficulté.

Renard-de-Feu repéra rapidement sa Némésis, aux prises avec un centaure aux flancs ruisselant de sang. Il visa… et sa flèche frôla le visage de Bunlap, lui valant une nouvelle entaille. Avec un braillement de colère et de douleur, le chef des mercenaires plaqua une main sur sa joue blessée. Le centaure voulut en profiter pour l'embrocher. Mais il avait perdu trop de sang… Bunlap l'acheva d'un coup d'épée avant de se mettre en quête du maudit rouquin…

Au milieu des elfes, il n'était pas difficile à repérer ! Délibérément, Renard-de-Feu avait laissé libre sa flamboyante chevelure, sans la parer d'os, de racines tressées ou de plumes destinées à l'assombrir.

L'elfe croisa le regard de son ennemi… et battit en retraite vers la forêt. A son signal, ses guerriers rompirent le combat et l'imitèrent.

Les mercenaires s'arrêtèrent devant les premiers arbres. Ils avaient des ordres.

Bunlap ne fut pas long à décider.

— Mort aux elfes ! cracha-t-il.

Assoiffé de vengeance, il s'élança le premier dans les bois.

CHAPITRE XXII

Etre à la tête de vingt elfes n'amusait pas particulièrement Tinkersdam, beaucoup plus à l'aise au milieu de ses alambics et de ses chaudrons. Il n'avait aucun talent pour la discrétion, et nul amour pour les insectes qui, ignorant les elfes, bourdonnaient continuellement à ses oreilles. Sans parler d'une remarquable intolérance à quelque chose, dans l'air de la forêt. Son nez le chatouillait sans cesse.

Au moins, ils avaient la surprise pour eux. Les mercenaires ne les attendraient pas avant un jour ou deux. Restait à espérer que leur sorcier de Halruaa n'aurait pas eu le temps de mettre en place des défenses sophistiquées.

Autour des cages des prisonniers, Tinkersdam ne détecta pas de pièges mécaniques. L'idiot de sorcier devait s'en remettre exclusivement à ses sorts de feu... Mais ce genre de défense était analogue à une porte. Close, elle tenait les intrus en échec... Mais elle pouvait aussi empêcher quiconque de sortir !

L'alchimiste prit dans son sac une corde de soie de son invention et la confia à un archer.

— Vous voyez l'arbre qui porte une croix jaune, là-bas, pour la coupe ? Pourriez-vous fixer ceci à la pointe d'une flèche et viser cette branche-là ? Histoire que l'extrémité de ma cordelette tombe à portée de la cage ?

L'archer acquiesça et s'exécuta.

Les prisonniers ne bronchèrent pas. Mais l'un d'eux attrapa la cordelette et noua l'extrémité libre à un barreau de leur prison.

— Magnifique ! jubila Tinkersdam. (De son sac à malice, il sortit divers petits mécanismes en bois et en métal, ainsi qu'un pot de crème.) Vous savez quoi faire avec tout ça, les enfants… Grimpez dans l'arbre, calez cette poulie miniature au-dessus de la cage et tournez la poignée… Ça vous permettra de descendre très vite. La crème rendra collantes les mains des prisonniers et leur permettra de monter rapidement se mettre en sécurité. Vous six, allez-y… Les autres, attendez ici avec moi. Quand nos compagnons attaqueront, nous chargerons.

Tous acquiescèrent. Ils n'eurent pas longtemps à attendre. Un cri de guerre retentit, suivi par le fracas d'une charge de cavalerie…

— Essence de champignons hurleurs…, dit Tinkersdam dans sa barbe. Excellent résultat !

Les membres de son équipe foncèrent, arrosant les humains de projectiles « parfumés » au soufre et enduits de substances très sensibles à la magie du feu pratiquée par les sorciers d'Halruaa. Certains heurtèrent des boucliers invisibles, provoquant des déflagrations du plus bel effet… Les gardes se retrouvèrent prisonniers derrière des murs de flammes.

— Superbe ! s'extasia l'alchimiste.

Entre-temps, les six elfes désignés atterrirent sur les cages en bois et délivrèrent leurs frères, non sans repousser les gardes qui prétendaient les en empêcher.

Après quelques instants, les premiers elfes délivrés

s'élancèrent dans les branchages… Tinkersdam compta quarante-sept malheureux, fort mal en point…

Derrière les rideaux de flammes, les hurlements redoublèrent.

— Excellent, excellent ! s'écria Tinkersdam.

Renard-de-Feu courait à travers bois, sautant, esquivant, bondissant… Il avait choisi son terrain : une petite clairière, non loin du site ravagé par les hommes. Ses compagnons continueraient le combat perchés dans les arbres pendant qu'il affronterait Bunlap.

Tapi derrière un cèdre, Renard-de-Feu attendit son ennemi… Mais la haine devait affûter les instincts de l'humain. Quand il lui bondit dessus, Bunlap, loin de se laisser surprendre, pointa sa dague.

Renard-de-Feu réussit d'extrême justesse à éviter un coup au cœur… La lame lui mordit le bras. La douleur lui fit tourner la tête… Il se rattrapa à l'arbre.

Epée haute, l'humain avança vers lui.

Les Elmanesse battaient en retraite, leurs ennemis sur les talons, eux-mêmes harcelés par huit centaures qui les rabattaient vers le nord. Plutôt que d'affronter de nouveau les elfes sur leur terrain, Vhenlar aurait cent fois préféré tenter sa chance contre les hommes-chevaux… Il s'était à peine enfoncé dans les bois quand, d'un bosquet de fougères, surgit une extraordinaire créature mi-humaine, mi-chèvre… Un faune !

Vhenlar leva son arc, visa et décocha une flèche noire.

Que le faune rattrapa au vol.

Avant de bondir sur l'humain, interdit.

L'archer zhentilar s'effondra.

Le faune repartit, bondissant d'allégresse.

Vhenlar vit sa propre flèche dépasser de son abdomen… Un sourire amer naquit sur ses lèvres. Si ce n'était pas l'avenir dont il avait rêvé, il s'était toujours douté que tout finirait ainsi. Un jour, les flèches des elfes se retourneraient contre lui…

Il y avait une satisfaction perverse à avoir raison.

Ce fut sa dernière pensée.

Zoastria ferraillait contre deux soldats, sa lame de lune taillant et tranchant à une vitesse hallucinante. Mais sa petite taille la désavantageait. Ses bras et ses épaules étaient déjà zébrés de coupures. Sans la rapidité surnaturelle de la lame de lune, Zoastria aurait été grièvement blessée.

Du coin de l'œil, l'antique héroïne vit Arilyn transpercer un orc avant de lui prendre son épée pour affronter l'adversaire suivant.

Stimulée, Zoastria trompa la garde du premier mercenaire et lui perfora les côtes. Au même instant, elle sentit un choc dans son dos… Baissant les yeux, elle vit une flèche dépasser de son corps.

Avec un cri de triomphe, le deuxième mercenaire s'apprêtait à lui administrer le coup de grâce.

Mais une épée dévia le coup et mit l'homme hors d'état de nuire.

Puis quelqu'un tira Zoastria à l'écart.

— Je dois vous retirer cette flèche…, souffla Arilyn.

— Non, mon enfant… Elle a perforé mes poumons. Pour moi, c'est la fin… Je te lègue mon épée. Reprends-la… et arrache la victoire !

Sur ces derniers mots, Zoastria arracha la flèche de sa chair et expira.

Arilyn resta sans réaction.

S'arrachant à l'hébétude, elle alla récupérer la lame de lune. Mais la reprendre équivaudrait à embrasser de son plein gré des siècles de servitude… sinon une éternité.

A moins que l'épée ensorcelée ne la rejette ?

Autour de la jeune femme, on se battait au corps à corps… Face à tant d'humains, la victoire des elfes était improbable.

Une mort certaine, ou un asservissement éternel à la magie ?

Arilyn se baissa et ramassa la lame.

CHAPITRE XXIII

Une lueur bleue enveloppa la Ménestrelle. La lame de lune l'acceptait !

Sans hésiter, Arilyn se jeta dans la bataille. Une dizaine de mercenaires avait cerné deux belles elfes désarmées et s'amusait à leur taillader les vêtements, les couvrant de quolibets et d'insultes. Par bonheur, elles ne comprenaient pas, même si le ton paillard des Oreilles Rondes, leurs prunelles égrillardes et l'indignité de la situation pouvaient difficilement leur échapper…

Arilyn bondit. Elle décapita le premier homme, désarma le deuxième qu'elle précipita dans les bras du troisième… et creva les yeux du quatrième…

Il restait six humains contre trois elfes.

Deux soldats sautèrent sur une elfe désarmée pour l'éventrer d'un coup d'épée. Prise à partie par les autres mercenaires, Arilyn ne put pas donner le coup de grâce à la malheureuse pour lui épargner une lente agonie.

La deuxième elfe désarmée – enceinte, découvrit la Ménestrelle –, souffrait de multiples blessures…

— Courez vous mettre à l'abri ! lui cria Arilyn sans cesser de ferrailler.

— Pas sans vous !

La Ménestrelle hésita. L'avertissement du double magique de Danilo était clair : invoquer de nouveau les ombres elfiques était périlleux… Mais sa vie n'était-elle pas déjà « perdue » puisqu'elle était retombée sous la coupe de l'épée ensorcelée ?

— *Venez tous à moi !*

Les fantômes apparurent… Stupéfaits, les mercenaires en oublièrent de se battre.

Apparemment aussi substantiels et réels que les elfes vivants, huit spectres avancèrent.

En glissant dans les ténèbres, Arilyn trouva la force de sourire.

Danilo n'était plus parmi les ombres. Quoi qu'il advienne désormais, elle l'avait libéré.

Des renforts pareils avaient de quoi redonner du cœur au ventre… Kendel Feuilletonnelle vit un mage aux tresses blanches foudroyer deux mercenaires orcs… et inciter un troisième à fuir… dans les bras de Jill qui en fit son affaire. Invoquant Morodin, le dieu nain du combat, il bondit sur une souche et abattit sa hache sur le crâne de l'orc, qu'il fendit en deux tel un melon mûr.

Jill cessa de jubiler quand sa hache resta obstinément plantée dans la boîte crânienne du monstre…

Sa distraction lui coûta cher : un autre mercenaire en profita pour braquer sa lance sur sa gorge…

Jill s'immobilisa et lança un regard d'adieu à son ami…

Le désespoir souffla une idée à Kendel.

— Jill ! Il s'appelle Jill !

L'homme ricana.

— Ah oui ? Que m'importe de tuer une naine plutôt qu'un nain ? Que Cyric m'emporte si j'arrive à discerner les mâles barbus des femelles à barbe !

Piqué au vif, Jill rugit à tue-tête :

— Moi, une *femmelette* ? Foutus humains, vous y

voyez comme des taupes et vous avez autant de répondant que ces chiffes molles de castrés ! Pas étonnant que vos pauvres femelles frustrées en soient réduites à faire de l'œil aux elfes et aux autres bellâtres qui passent à leur portée !

Atteint dans sa dignité de mâle, le mercenaire se redressa de toute sa taille et cracha :

— *Jill ?*

Galvanisé, le nain empoigna la lance qui le menaçait, la repoussa... et mordit rageusement la hampe.

Avant que le soldat soit revenu de sa surprise, Jill mastiqua les échardes de bois... et les lui recracha à la face. Puis il lui sauta sur la couenne.

— Jill était le nom de ma mère ! brailla-t-il en lui plantant la lance dans le ventre.

Hors de lui, il sauta de tout son poids sur le crâne de l'orc mort, histoire de le réduire en bouillie... et de récupérer sa hache.

Amusé, Kendel rejoignit son ami.

— Viens, le combat n'est pas fini. Il reste beaucoup de... présentations... à faire !

Jill tourna vers l'elfe un regard plein de gratitude.

— Merci. Ta brillante inspiration m'a sauvé la vie ! Les miens adoreront quand je leur raconterai. D'ailleurs... Pourquoi ne m'accompagnerais-tu pas dans la montagne ? J'ai de jolies cousines, tu sais !

Kendel en resta sans voix. Un nain, l'inviter dans le foyer de ses ancêtres ! Curieusement, l'idée lui plut... Cette perspective ne manquait pas d'un charme piquant !

— Tes jolies cousines... ne s'appelleraient pas toutes Jill, par hasard ? lança l'elfe en croisant de nouveau le fer avec un mercenaire.

Jill rugit de défi.

— Et alors ?

Bunlap avança sur sa proie. Son bras blessé ne lui obéissant plus, Renard-de-Feu leva maladroitement son épée de l'autre main... et réussit à parer le premier coup.

L'homme revint aussitôt à la charge. Cette fois, l'elfe réagit avec plus d'assurance. Les coups et les parades s'enchaînèrent... Avec son sang, Renard-de-Feu perdait rapidement ses forces. Sa vue se brouillait. L'humain lui égratigna la poitrine. Quand il voulut lui bondir dessus, il mordit la poussière, s'étalant de tout son long.

Le coup de grâce... ne vint pas.

Une botte cerclée de fer lui écrasa les reins, attisant la douleur. Renard-de-Feu sentit la pointe d'une épée graver des lignes dans sa chair... Bunlap entendait lui rendre la monnaie de sa pièce avant de l'achever... ! Le mercenaire prit son temps, « tatouant » sa victime avec application.

De très loin, Renard-de-Feu entendit quelqu'un jurer abominablement.

La botte qui le maintenait au sol disparut.

A travers un voile rouge, l'elfe releva la tête... et reconnut Arilyn, épée tenue à deux mains.

— Vous ! grogna Bunlap. Du vent ! Celui-là est à moi !

— Ça m'étonnerait, répliqua la Ménestrelle, glaciale.

Elle para le premier coup qu'il lui porta. Puis elle feinta, attaqua, feinta... si vite que Bunlap dut céder du terrain.

Il se vengea en flanquant un coup de pied dans les côtes de Renard-de-Feu. Outragée, la guerrière rengaina son épée, lui saisit le poignet avant qu'il comprenne son intention et se plaqua dos contre lui...

avant de l'expédier par-dessus elle d'un fameux coup de reins. Bunlap retomba, souffle coupé. Furieux, il roula sur lui-même pour attraper l'elfe par les chevilles et la déséquilibrer. Trop vive pour lui, elle esquiva... et trébucha. Il lui bondit dessus, la clouant au sol de tout son poids.

Un poids considérable... Aucune guerrière, fût-elle la meilleure du monde, n'aurait pu se dégager d'une masse pareille.

Dressé sur un coude, le capitaine souffleta sa victime. Il ne la frappait pas avec assez de force pour marquer sa peau ou l'assommer... Il dosait ses coups.

L'elfe cessa de résister. Ses prunelles bleues étrangement piquetées d'or se révulsèrent... Bunlap avait plus d'une fois observé chez ses victimes les symptômes de la terreur. Chez les femmes, surtout... Face à l'insupportable, elles préféraient s'abstraire du monde, fuir en imagination...

Aussi, quand elle remua les lèvres, psalmodiant tout bas quelque chant elfique, il s'en moqua éperdument.

Sa soif de vengeance lui inspirait de basses pulsions. Arrachant la tunique de sa proie, il saisit sa cotte de mailles à pleines mains...

... A l'instant où le chant s'achevait.

Une énergie surnaturelle fit scintiller l'épée et son armure... Bunlap brailla de douleur au contact du métal surchauffé.

Impossible d'en détacher les doigts !

Quand il reprit ses esprits, hébété, l'elfe s'était dégagée. A genoux, il serrait contre lui ses mains calcinées...

— Debout et en garde ! S'il vous reste une once d'honneur...

Les prunelles de l'elfe et la pointe de son épée brûlaient d'un feu magique.

Bunlap leva ses pauvres mains ratatinées.

— Avec *ça* ? Et vous osez parler d'honneur ?

— Je consens à ce que vous mouriez debout, l'arme au poing. C'est beaucoup plus que ce que vous méritez ! Refusez et je vous taillerai en pièces là où vous rampez !

Son mépris fouetta l'orgueil de l'homme. Malgré la douleur, il reprit son arme brûlante et se releva.

Bunlap était un vieux de la vieille. A treize ans, il avait tué son premier homme… Ensuite, il avait toujours vécu par l'épée. Pourtant, après quarante ans d'une existence placée sous le signe de la violence, il affrontait pour la première fois une escrimeuse de cette trempe.

Inexorable, l'elfe parait chaque coup. A la fin, d'un coup de pied, elle arracha son arme à Bunlap.

Soutenant son regard, elle lui transperça le cœur.

Renard-de-Feu avait l'impression de rêver. Réduit à l'impuissance, il avait vu l'humain menacer celle qu'il aimait par-dessus tout… avant de périr de sa main.

Toujours comme dans un rêve, il vit Arilyn se tourner vers lui, l'aider à s'asseoir au pied de l'arbre, lui bander la cage thoracique et lui donner à boire…

Reprenant peu à peu ses esprits, Renard-de-Feu lui saisit le visage pour le rapprocher du sien… et découvrit, stupéfait, une guerrière qui ressemblait assez à Arilyn pour être sa sœur jumelle. Seuls ses traits plus anguleux et sa chevelure couleur saphir l'en distinguaient.

— Tout ce que tu as fait pour ma fille te vaut ma gratitude… Tu as montré à Arilyn son âme elfique. Dis-lui que sa mère est fière d'elle. L'heure venue, nous serons réunies en Arvandor. Dis-le-lui surtout !

Si je lui apparaissais, je hâterais nos retrouvailles... Le peuple des bois a besoin d'elle. Je peux compter sur toi ?

Renard-de-Feu hocha la tête.

L'elfe disparut.

Le guerrier se releva et tituba en direction de la lueur caractéristique de la lame de lune...

Elle gisait dans l'herbe rouge de sang, sa lumière magique faiblissant à vue d'œil... Furet avait posé sur ses genoux la tête d'Arilyn. Autour d'elles, le cercle des vainqueurs exultait : les Elmanesse et les Suldusk, les centaures, les faunes, les *Lythari* et jusqu'à un nain qui souriait de toutes ses dents...

Relevant la tête, Furet croisa le regard de son promis.

— La victoire est à nous ! Et Arilyn vivra !

CHAPITRE XXIV

Les blessés soignés, les morts rendus à la terre, le peuple des sylves partit vers le nord. D'un commun accord, ils reconstruiraient leurs foyers dans la clairière de la Dame des cygnes, où les Elmanesse et les Suldusk vivraient réunis.

Après une telle bataille, tous avaient admis la nécessité de se regrouper.

Arilyn et Ysengrin cheminaient ensemble. Malgré sa grande faiblesse, la Ménestrelle se sentait ragaillardie par le message de Renard-de-Feu. Elle avait triomphé de toutes les épreuves !

Il lui restait un dernier service à demander à son ami…

Stupéfait, il l'écouta… puis hocha la tête.

— Entendu. Je t'emmènerai à Eternelle Rencontre.

Alertée par la lueur d'une de ses bagues, la reine Amlaruil sut qu'on venait d'emprunter le portail magique, à la lisière des jardins du palais. Investie des pouvoirs de la Seldarine, la reine ne craignait rien ni personne.

Avertissant son scribe et ses deux gardes d'honneur, elle activa l'anneau. Tous les quatre furent téléportés dans une grande clairière entourée d'arbres majestueux.

Deux intrus s'y tenaient : un *Lythari* à la fourrure d'argent, et une elfe de lune.

— Eternelle Rencontre…, chuchota Arilyn, émerveillée.

— Je te laisse. Je reviendrai dès que tu auras besoin de moi…

Sur ces mots, Ysengrin se volatilisa.

— Qui êtes-vous pour oser troubler la paix de cet endroit ?

Une question agressive… n'était l'envoûtante beauté mélodieuse de la voix qui la posait. Elle rappela à Arilyn les berceuses que sa mère lui fredonnait jadis…

La Ménestrelle se campa face à Amlaruil Fleur de Lune.

— Amnestria… ?

Arilyn dévisagea sa parente. La reine avait des traits plus délicats et une chevelure d'aspect plus soyeux qu'Amnestria. La jeune femme compara mentalement sa beauté surnaturelle à celle des *Lythari*.

Deux elfes dorés et un elfe de lune entouraient la souveraine.

A genoux, la Ménestrelle dégaina son épée et la posa aux pieds d'Amlaruil.

— Je suis Arilyn Lamelune, la fille et l'héritière d'Amnestria d'Eternelle Rencontre. Tant que les feux de Myth Drannor embraseront mon épée, elle restera au service des elfes et de leur légitime souveraine.

Un long silence suivit cette déclaration.

Amlaruil pouvait difficilement accepter la lame de lune sans reconnaître *ipso facto* l'existence de sa propriétaire.

Arilyn offrit une échappatoire à l'orgueilleuse monarque.

— J'ai rempli mes devoirs d'ambassadrice extraordinaire d'Eternelle Rencontre. Je suis prête à vous faire mon rapport.

— Relevez-vous et parlez.

Amlaruil fit signe à son scribe de s'asseoir sur une souche.

Arilyn fit un compte rendu concis et circonstancié. La reine lui posa quelques questions, puis acquiesça.

— Ce n'est pas la tâche que je vous avais confiée, mais vous avez très bien agi.

— Je suis donc habilitée à requérir de Votre Grâce la récompense de mon choix pour avoir mené à bien une mission particulièrement délicate… Selon Carreigh Macumail, en cas de réussite, Votre Majesté n'aurait rien à me refuser… Si nul ne doute de vos royales largesses, oserais-je vous inviter, à l'avenir, à préciser néanmoins certaines limites avant de parapher un texte pareil ?

Malgré elle, Amlaruil sourit.

— Vous êtes bien la fille d'Amnestria. Elle n'avait pas non plus la langue dans sa poche… Hélas, l'influence de votre géniteur se fait également sentir.

— Ce que vous avez devant les yeux est le résultat de mon libre arbitre, répondit Arilyn. Je ne suis pas une soupe qu'on mitonne avec une pincée de ceci et un brin de cela… Quant à mon père, nous avons fait connaissance il y a trois ans seulement… Vous y avez veillé.

— A la mort de votre mère, vous avez dû vous demander pourquoi votre famille ne vous avait pas recueillie…

— Non.

— Vous êtes décidée à ne pas me faciliter les

choses, n'est-ce pas ? Très bien… A votre place, j'agirais de même. Les sang-mêlé n'ont pas accès à Eternelle Rencontre. Vous devez le comprendre. Cette île représente notre ultime refuge. Partout, notre culture disparaît face à l'avancée des hommes. Si les demi-elfes ne représentent en eux-mêmes aucune menace, ce qu'ils incarnent est impossible à ignorer. Dans ces conditions, aucune exception ne saurait être tolérée. *Même* dans votre cas. *Surtout*, dans votre cas, devrais-je dire…

— Pourtant, me voilà…

— Oui… Vous avez remarquablement agi. A ma connaissance, personne avant vous n'avait découvert seul les pouvoirs exceptionnels d'une lame de lune. Doutant de votre potentiel, nous aurions cherché d'autres solutions… Jamais nous n'aurions cru que…

— … Je survivrais ?

— Peu d'elfes répondent aux exigences d'une lame de lune. Alors, beaucoup d'héritiers refusent ce genre de legs. En toute logique, une enfant hybride n'aurait jamais dû pouvoir faire face.

— Mais vous vous êtes gardée de m'empêcher d'essayer, vous attendant à ce que j'en meure. La première fois que j'ai dégainé la lame, j'ignorais tout.

— Et si vous aviez su, vous seriez-vous abstenue ?

Une question rusée… Arilyn y réagit en escrimeuse chevronnée.

— Ce qui est fait est fait. Ne revenons pas là-dessus. Mais je n'aborde pas le sujet sans raison. Ma mère parlait souvent avec tendresse et émotion de son frère cadet. Je déclare donc le prince Lamruil mon héritier. Lui direz-vous ce qu'un tel don implique ?

— Oui. Au nom de mon fils, je vous remercie de cet honneur… Vous parliez de récompense…

— Je désire une bande de terre, à l'est de la forêt du Téthyr, s'étendant des abords du château Spulzeer jusqu'aux sources du fleuve Sulduskoon.

— Vous exigez beaucoup.

— Eternelle Rencontre est une véritable corne d'abondance, dit-on.

— Que ferez-vous de ces terres ?

Arilyn tira de sa poche une poignée de glands de chêne mêlés à d'autres semis.

La reine et elle se mesurèrent du regard.

— C'est entendu… La propriété de ces terres vous sera concédée.

Arilyn s'inclina, s'apprêtant à prendre congé.

— Une dernière chose… Au nom du peuple des bois, j'accepte votre épée et votre allégeance. Puissiez-vous toujours les servir l'un et l'autre avec honneur et fierté.

La Ménestrelle salua sa souveraine.

Mais elles se dévisagèrent encore longuement. Elles ne se reverraient sans doute jamais.

Le loup d'argent réapparut.

Arilyn s'en fut avec lui.

La souveraine ramassa le parchemin que sa visiteuse avait laissé sur l'herbe… Etonnée, elle lut la modification apportée à son patronyme…

— « *Arilyn Fleur de Lune* »…, chuchota-t-elle.

Loin de s'en indigner, elle se réjouit secrètement d'avoir une telle petite-fille.

A l'aube, quelques jours plus tard, les survivants de la bataille de Zoastria se rassemblèrent à l'est des frontières du Téthyr. Tous étaient là : les Elmanesse et les Suldusk, les *Lythari*, les faunes, les centaures…

244

Seuls manquaient à l'appel Jill et Kendel Feuille-tonnelle, partis la veille vers les montagnes.

Il s'agissait de replanter la forêt… Chaque graine, un lien vivant, symbolisait l'union nouvelle des tribus, des *Lythari* et des autres créatures des sylves. Après tant de malheurs, l'heure était venue de tout rebâtir !

Avec une rare harmonie, tous travaillèrent main dans la main jusqu'au soir. Après le festin et les chants, Renard-de-Feu invita Arilyn à une promenade vespérale.

— J'ai un message de Rhothomir… Comme il se sent gêné, je lui ai proposé de parler à sa place. En vérité, je laisserai simplement parler mon cœur…

— Te voilà désigné « orateur de l'orateur »…, le taquina Arilyn.

— Le peuple du Téthyr t'ouvre les bras. Rejoins notre tribu et vis avec nous, à l'ombre des arbres. Ici, tu es chez toi.

— J'aimerais accepter… Une partie de moi ne quittera jamais le Téthyr. Mais regarde autour de toi, mon ami… Tu vivras assez longtemps pour regarder pousser les graines plantées aujourd'hui. Moi, je serai morte depuis des lustres… Et puis, on m'attend ailleurs.

« A l'instar des *Lythari*, on m'a accordé de vivre entre deux mondes… Tu m'as permis de mieux connaître mon âme elfique. Et aidée à comprendre que mon destin et mon cœur étaient liés aux humains…

Elle dégaina sa lame de lune, révélant à son compagnon la nouvelle rune qui scintillait sur sa garde.

— Tant que les feux de Myth Drannor brûleront dans cette arme, une héroïne reviendra dans la forêt du Téthyr quand il le faudra… Ce ne sera sans doute pas moi. Mais je veux que tu vives en paix longtemps après que j'aurai rejoint mes ancêtres.

Renard-de-Feu l'attira dans ses bras. Arilyn se rappelait tout… et elle ne regrettait rien.

Son âme elfique serait à jamais liée à cette forêt.

Peut-être qu'elle y reviendrait, en effet… Et son essence même renforcerait l'épée ensorcelée.

Mais comme elle l'avait avoué à son ami, son destin *et* son cœur étaient ailleurs…

CHAPITRE XXV

De retour à Zazesspur, le seigneur Hhune était de fort bonne humeur. Pourtant, certaines de ses machinations avaient été étouffées dans l'œuf. Les assassins et les voleurs de Zazesspur n'étaient pas près d'avoir une antenne à Eau Profonde ! Dommage… Les Chevaliers du Bouclier avaient perdu leur agent : démasquée, Lucia Thione avait dû s'exiler. Il coulerait de l'eau sous les ponts avant que le Bouclier réussisse à avoir un informateur aussi bien introduit dans la haute société aquafondienne.

Mais Hhune ne se laisserait pas abattre pour si peu. S'il n'était plus question pour lui de remettre les pieds à Eau Profonde, le malheur semblait s'acharner contre la ville. Des récoltes ruinées, des monstres hantant les forêts, des troubles politiques à répétition… A ce compte-là, côté exportations, Zazesspur allait se remplir les poches !

Hhune ramenait avec lui Lucia Thione, unique survivante de la dynastie du Téthyr. Avec le retour en grâce de l'idéal monarchique, ce n'était pas si mal. A condition de bien abattre son jeu, tous les espoirs étaient permis. Non contente d'être de haute naissance, Lucia était une vraie beauté doublée d'une redoutable femme d'affaires.

Avec un tel atout dans sa manche, il y avait de quoi être aux anges !

Ignorant tout des projets de Hhune, la jeune femme avait passé le voyage à se gagner les bonnes grâces de son sauveur. Qu'avait-elle à attendre de son pays natal sinon une exécution rapide ?

Mais les affaires d'abord…

Une fois la dame installée, Hhune retourna dans ses bureaux, et fit appeler son scribe.

A sa surprise, le jeune Calishite se présenta.

— Bienvenue, seigneur. Tout s'est bien passé ?

— Où est Achnib ?

— Il est mort, mon seigneur. Puissent tous les traîtres et les voleurs finir ainsi ! Sa Grâce le duc Hembreon vous attend dans votre étude.

Hhune eut l'impression que le sol se dérobait sous ses pieds… Sous les vents changeants de la politique, le duc gardait la raideur intransigeante d'un sycomore. Cet homme grave et distingué, issu d'une famille aussi noble que fortunée, mesurait tout à l'aune de son sens irréprochable de l'honneur et du devoir. Et il siégeait à la confrérie du Bouclier…

Hhune entra et salua son auguste visiteur.

— Vous avez rendu un fier service à notre peuple.

— Je vis pour servir, répondit machinalement le marchand.

— A votre requête, intervint Hasheth, mon seigneur, je me suis efforcé de démasquer le traître qui trafiquait avec les pirates nélanthères. Achnib… Comme vous vous en doutiez. Non content de vendre des informations sur les cargaisons et les itinéraires de vos vaisseaux, il vous volait, détournant à son profit une partie de vos bénéfices… Dans quel but inavouable, on n'ose l'imaginer…

— Achnib était très ambitieux…, lâcha Hhune, dépassé par les événements.

— Le scribe avait également armé une flotte en toute illégalité, et avec la complicité d'un nommé Bunlap. D'après certains indices, l'animal était sur le point de vous faire porter le chapeau !

— Oh !

Incroyablement, Hembreon semblait ajouter foi à ce tissu d'inepties…

Se levant, il tendit la main à Hhune.

— Grâce à vous, la cité aura gagné quinze vaisseaux armés. Zazesspur vous en est reconnaissante.

Le marchand raccompagna le duc à la porte avant de se tourner, furieux, vers son apprenti.

— Ce que j'ai dit était en grande partie la vérité ! s'empressa de se justifier Hasheth. Achnib trafiquait vos comptes, et il complotait avec le chef des mercenaires. Mais à un moment, il a perdu courage, et a tenté d'embarquer pour Lantan… Ayant vos intérêts à cœur, j'ai fait exécuter Achnib et Bunlap et confié au Conseil la flotte confisquée. Une façon de retourner la situation à votre avantage… Il vaut toujours mieux jouer les héros que les coupables, n'est-ce pas ?

— Quelle extraordinaire loyauté…, ironisa Hhune.

— Votre bonne fortune n'est-elle pas la mienne ? Que m'aurait rapporté votre chute ? De plus, les Chevaliers se sont félicités de mon initiative. Ils m'ont accueilli parmi eux. Donc, protéger vos intérêts revenait à protéger les miens.

Sidéré, Hhune secoua la tête.

— Et le duc Hembreon ? Comment avez-vous appris l'identité d'un des premiers personnages de notre confrérie ?

— Les intrigues de palais n'ont plus de secrets pour moi… Vous oubliez mes origines, il me semble. Par ailleurs, les Ménestrels vous ont à l'œil. Mieux valait y mettre un terme avant que ça ne tourne au vinaigre.

— Bien joué ! lança une voix féminine amusée. (Hhune tourna la tête. Il avait presque oublié Lucia.) Quel talentueux jeune ami vous avez là, mon seigneur... Avec moi pour compléter le trio, le Téthyr n'aura qu'à bien se tenir !

Regardant la belle jeune femme et le prince, Hhune dut convenir que le destin lui souriait.

— Ma chère, je vous présente Hasheth. Hasheth, voilà Lucia Thione. Je me fie à votre discrétion et à votre bon sens pour garder secrète la présence en nos murs d'une personne de si haut rang et de si noble distinction... Du moins, pour l'instant.

Une révélation qui valait de l'or... Le poids du secret les lierait désormais.

— Cela dit, continua Hhune, vous avez eu tort de tuer Achnib. Sans bénéficier d'une grande intelligence, il n'était pas dévoré d'ambition et aurait pu nous rendre encore beaucoup de services... Sa loyauté était aussi inébranlable que celle d'un chien. Mise à part cette regrettable erreur, vous passez l'épreuve haut la main, mon ami.

— L'épreuve ? se récria Hasheth. Quelle épreuve ?

Son maître sourit.

— Imaginiez-vous que je vous laisserais disposer de ma flotte à votre guise ? J'avais prévu vos actes et pris mes dispositions. Mes vaisseaux sont maintenant sous la juridiction des seigneurs de Zazesspur, comme je l'escomptais. Et les marchands du Téthyr continueront de verser leur tribut pour protéger le fret alors que le Conseil s'acquittera de tous les frais. Or, qui est le maître de la guilde navale ? Qui siège au Conseil ? Qui contrôlera cette flotte ?

Dans le regard d'Hasheth passa une vague angoisse.

Le fils du pacha était moins malin qu'il ne s'était plu à le croire… Apprendre qu'il avait joué le jeu de son maître, sans le surprendre en rien, l'humiliait et l'horrifiait.

— Mais… Comment… ?

— Comment ? répéta Hhune, glacial. Voilà ce que vous êtes venu apprendre, mon jeune ami. Après de bons débuts, si vous désirez vraiment gagner votre place au soleil, sachez que vos épreuves ne font que commencer.

« Maintenant, si vous me parliez de cette jolie Ménestrelle et de ses plans ?

Quelques jours plus tard, Arilyn fit ses adieux au prince Hasheth. Elle écouta ses explications sans y ajouter trop de foi. Mais il y avait plus pressé. Heureuse de quitter le pays, elle récupéra sa monture.

Tinkersdam avait décidé de s'établir au Téthyr, un royaume plein de promesses !

Après une longue conversation avec Hasheth, Furet avait décidé de repartir dans sa forêt sans attenter aux jours du seigneur Hhune.

Mais pas avant que le règne du pacha Balik s'achève dans le sang, sous les coups d'un mystérieux assassin… On avait retrouvé sur les lieux du drame un long turban satiné qui aurait pu appartenir à une dame…

Le lendemain, Hasheth fut officiellement accueilli parmi les Chevaliers du Bouclier…

Le cœur léger, Arilyn chevauchait en direction du nord. Pour la première fois de sa vie, elle avait le sentiment de rentrer chez elle.

En chemin, elle entendit des bruits de bataille… et contre toute attente, le chant d'un ténor par-dessus le vacarme. Au fil de ses aventures, elle s'était accoutumée à ce genre de rengaines insupportables…

— Pleurons, pleurons le paladin
Qui connut une atroce fin !
Il était droit, il était fort,
Ça n'empêche pas qu'il est mort !

Eût-il réfléchi un instant,
Ce grand crétin au cœur vaillant,
Qu'il aurait pu sauver sa peau
En ne jouant pas les héros.

La demi-elfe éprouva un mélange d'exaspération et de jubilation. Un seul homme avait la manie de composer à tout bout de champ ce genre de fredaines !

Sautant à terre, lame de lune au poing, Arilyn courut se joindre à la mêlée… plus cocasse qu'autre chose ! Les bras croisés, Danilo regardait son escorte affronter des brigands mal inspirés… Mais il jugeait utile d'encourager ses hommes en poussant la chansonnette dans la plus pure tradition bardique.

Encore que… Quel guerrier pouvait être inspiré par des quatrains aussi ridicules ? Voilà qui dépassait Arilyn.

— Mais quand on est mort on est mort,
Et on le reste longuement.
Qu'on ait eu raison ou bien tort
Le tombeau n'est pas très plaisant.

Alors pleurons le pauvre idiot
Qui connut une atroce fin
Pleurons pleurons le paladin
A gros bouillons, à gros sanglots…

252

Entre deux strophes navrantes, Danilo lançait aux brigands de petits sortilèges, histoire d'achever de les déconcerter. Ses lacets de bottes soudain noués ensemble, un bandit s'étala face contre terre. Arilyn rit aux éclats.

Le jeune mage tourna vivement la tête… et eut un sourire radieux. Son épée dégainée, il passa aux choses sérieuses, résolu à rejoindre sa mie sans perdre une seconde de trop.

Arilyn soupira. Danilo n'était pas mauvais à l'épée… Mais il lui restait des progrès à faire. Pressée d'en finir elle aussi, la Ménestrelle brandit son épée en poussant un cri de guerre.

Les bandits sursautèrent… et détalèrent en direction de l'est. On ne les payait pas pour se faire embrocher par les premières elfes venues !

Arilyn leva un sourcil ironique. Les pauvres diables ne se doutaient pas de ce qui les attendait à l'est, où un certain maître alchimiste serait ravi de voir arriver des cobayes…

Son épée rengainée, le jeune noble rejoignit la Ménestrelle. La peau hâlée par la vie au grand air, amaigri, il avait pris plus de rides qu'il n'était normal en quelques mois… La marque indéniable d'un usage intensif de la magie.

Il avait changé… Jetant le masque, il laissait désormais ses yeux exprimer tout ce qu'il avait dans le cœur.

Très ému, il prit les mains d'Arilyn.

— Nous voilà réunis…

— Pourquoi faut-il toujours que je te retrouve entouré d'abrutis acharnés à ta perte ?

— La rançon du succès, très chère… Quand on est beau, riche, séduisant et célèbre… Il faut bien en prendre son parti ! Mais assez parlé. Tu m'as terriblement manqué.

Il la lâcha pour caresser la pierre de lune enchâssée dans la garde de l'épée ensorcelée.

Faute d'oser lui caresser la joue, sans doute…

Arilyn avait trop de révélations à faire pour se taire plus longtemps. Sous peine de mort, nul – à part son propriétaire – ne pouvait toucher une lame de lune.

Avant que les doigts de Danilo n'atteignent la garde de l'arme, Arilyn lui saisit le poignet.

— Non ! Le pouvoir qui te permettait de partager mon épée n'existe plus.

Le jeune homme se rembrunit.

— Il n'existe plus parce que son utilité a disparu, expliqua la demi-elfe. Je n'ai plus besoin de la magie de la lame de lune.

— Est-ce possible ? Arilyn, depuis deux ans, j'attends que tu trouves ta voie… Tu le sais, mon destin, ma vie, mon cœur… Je t'appartiens corps et âme !

— J'accepte ton cœur et ton amour. Et je les chérirai toujours. Quant à ton âme, elle n'est plus qu'à toi seul, désormais !

Achevé d'imprimer sur les presses de

BUSSIÈRE

GROUPE CPI

à Saint-Amand-Montrond (Cher)
en mai 2002

FLEUVE NOIR
12, avenue d'Italie
75627 Paris Cedex 13
Tél. : 01-44-16-05-00

— N° d'imp. : 22577. —
Dépôt légal : mai 2002.

Imprimé en France